KB084166

2021-2020

파워
치과위생사 국가시험

기출치트키로
과락 피하자냥!

기출치트키
400

군자출판사

2 0 2 1 - 2 0 2 0
파워 치과위생사
국 가 시 험
기출치트키 400

첫째판 1쇄 인쇄 | 2023년 02월 10일
첫째판 1쇄 발행 | 2023년 02월 20일

지 은 이 군자출판사 학술국
발 행 인 장주연
출 판 기 획 한수인
책 임 편 집 박은선
표지디자인 신지원
내지디자인 이종원
발 행 처 군자출판사(주)
　　　　　등록 제 4-139호(1991. 6. 24)
　　　　　(10881) **파주출판단지** 경기도 파주시 회동길 338(서패동 474-1)
　　　　　전화 (031) 943-1888　　　팩스 (031) 955-9545
　　　　　www.koonja.co.kr

ISBN 979-11-5955-977-8 (94510)

정가 15,000원

2021 기출치트키

200

시험장까지 들고 가는
합격비법노트!

001

종합병원의 설치 요건	**300병상 초과하는 종합병원** 내과, 외과, 산부인과, 소아청소년과, 영상의학과, 마취통증의학과, 진단검사의 학과 또는 병리과, 정신건강의학과 및 치과를 포함한 9개 이상의 진료과목을 갖추고 각 진료과목마다 전속하는 전문의를 둘 것
	TIP! 내외산소 + 영통 + 진병정치 9개 이상의 진료과목 & 전속 전문의

법규 1-1-5 A항	종합병원의 설치요건을 설명할 수 있다.

002

진료기록부 등의 보존기간	보존기간	내용
	10년	진료기록부, 수술기록, 예방접종기록
	5년	환자 명부, 검사소견기록, 간호기록부, 조산기록부, 방사선사진 및 그 소견서
	3년	진단서 등의 부본(진단서·사망진단서 및 시체검안서 등 따로 구분하여 보존)
	2년	처방전(기공물 제작의뢰서 등)

출제 POINT
Q. 진료기록부 등의 보존기간이 10년인 것은?
A. 수술기록

법규 1-2-14 A항	진료기록부 등의 보존기간을 설명할 수 있다.

003

세탁물
처리 절차
	• 의료인 · 의료기관 또는 시장 · 군수 · 구청장
	   – 의료기관에서 나오는 세탁물 처리 신고
	   – 영업의 휴업(1개월 이상의 휴업) · 폐업 또는 재개업을 하려는 경우 신고
	• 보건복지부령에 따라
	   – 위생적으로 보관 · 운반 · 처리
	   – 감염 예방에 관한 교육을 실시하고 그 결과를 기록하고 유지
	   – 시설 · 장비기준, 신고절차 및 지도 · 감독, 그 밖의 관리에 필요한 사항 정함

법규 1-2-7 A항	의료광고의 금지 등의 기준을 열거할 수 있다.

의료광고의 금지 기준	• 평가를 받지 아니한 신의료기술에 관한 광고 • 치료효과를 오인하게 할 우려가 있는 내용의 광고 • 다른 의료인 등의 기능 또는 진료방법과 비교하는 내용의 광고 • 다른 의료인 등을 비방하는 내용의 광고 • 수술 장면 등 직접적인 시술행위를 노출하는 내용의 광고 • 의료인의 기능, 진료방법과 관련하여 심각한 부작용 등 중요한 정보를 누락하는 광고 • 객관적인 사실을 과장하는 내용의 광고나 법적 근거가 없는 자격이나 명칭을 표방하는 내용의 광고 • 신문, 방송, 잡지 등을 이용하여 기사 또는 전문가의 의견형태로 표현되는 광고 • 심의를 받지 아니하거나 심의받은 내용과 다른 내용의 광고 • 외국인 환자를 유치하기 위한 국내광고 • 소비자를 속이거나 소비자로 하여금 잘못 알게 할 우려가 있는 방법으로 비급여 진료비용을 할인하거나 면제하는 내용의 광고 • 의료광고의 방법 또는 내용이 국민의 보건과 건전한 의료경쟁의 질서를 해치거나 소비자에게 피해를 줄 우려가 있는 것으로서 대통령령으로 정하는 내용의 광고

법규 1-5-1 A항 의료광고의 금지 등의 기준을 열거할 수 있다.

의료기관의 개설허가 취소 사유	• 개설 신고나 개설 허가를 한 날부터 3개월 이내에 정당한 사유 없이 업무를 시작하지 아니 한 때 • 무자격자에게 의료행위를 하게 하거나 의료인에게 면허사항 외의 의료행위를 하게 한 때 • 보고와 업무검사의 공무원의 직무수행을 방해하거나 지도와 시정명령 등을 위반한 경우 • 의료법인·비영리법인·준정부기관·지방의료원·한국보훈복지의료공단의 설립허가가 취소되거나 해산된 경우 • 의료기관 개설 기준을 위반하여 의료기관을 개설한 때 • 의료기관 개설신고, 의료기관 개설허가, 폐업·휴업 신고, 진료기록부 이관, 의료광고금지 등을 위반한 경우 • 시정명령을 이행하지 아니한 경우 • 약사법을 위반하여 담합행위를 한 경우 • 의료기관 개설자가 거짓으로 진료비를 청구하여 금고 이상의 형을 선고받고 그 형이 확정된 때 → 개설허가 취소, 폐쇄 명령(3년 내에 개설, 운영하지 못함) **cf** 의료기관이 의료업이 정지, 개설허가취소 또는 폐쇄명령을 받은 경우: 입원중인 환자를 다른 의료기관으로 옮기는 조치해야 함 • 의료기관 개설자가 준수사항을 위반하여 사람의 생명 또는 신체에 중대한 위해를 발생하게 한 때

법규 1-6-7 A항 의료기관의 개설허가 취소 등의 사유를 설명할 수 있다.

의료기사 등에 관한 법률의 목적	의료기사, 보건의료정보관리사, 안경사의 자격 · 면허 등에 관하여 필요한 사항을 정함으로써 <u>국민의 보건 및 의료향상에 이바지함</u>(총 8종) • 의료기사(6종) • 보건의료정보관리사: 의료 및 보건지도 등에 관한 기록 및 정보의 분류 · 확인 · 유지 · 관리를 주된 업무로 하는 사람 • 안경사: 안경(시력보정용에 한정)의 조제 및 판매와 콘택트렌즈(시력보정용이 아닌경우 포함)의 판매를 주된 업무로 하는 사람
법규 2-1-1 A항	의료기사 등에 관한 법률의 목적을 설명할 수 있다.

의료기사의 결격사유	• 정신질환자(다만, 전문의가 의료기사 등으로서 적합하다고 인정하는 사람의 경우에는 가능함) • 마약류 중독자(의료법의 의료인 경우는 마약, 대마 향정신성의약품 중독자) • <u>피성년후견인, 피한정후견인</u> • 이 법 혹은 해당 형법을 위반하여 <u>금고 이상의 실형을 선고받고 그 집행이 끝나지 아니 하거나 면제되지 아니한 사람</u>
	출제 POINT Q. 의료기사 등의 결격사유에 해당하는 것은? A. 피성년후견인, 피한정후견인
법규 2-1-6 A항	의료기사 등의 결격사유를 열거할 수 있다.

의료기사의 품위손상행위	*면허정지 사유에 해당 • 의료기사 등의 업무범위를 벗어나는 행위 • 의사나 치과의사의 지도를 받지 아니하고 업무를 하는 행위(의무기록사와 안경사 제외) • 학문적으로 인정되지 아니하거나 윤리적으로 허용되지 아니하는 방법으로 업무를 하는 행위 • 검사결과를 사실과 다르게 판시하는 행위
	TIP! 다른 사람에게 <u>면허</u>를 대여하는 행위 → <u>면허취소</u> 사유
법규 2-1-16 A항	의료기사 등의 자격정지사항을 설명할 수 있다.

의료기사의
보수교육
	• 보건기관 · 의료기관 · 치과기공소 · 안경업소 등에서 각각 그 업무에 종사하는 의료기사 등(1년 이상 그 업무에 종사하지 아니하다 다시 업무에 종사하려는 의료기사 등을 포함)은 보건복지 부령으로 정하는 바에 따라 보수교육을 받아야 함(매년)
	  – 교육시간: 연간 8시간 이상
	  – 보수교육 관계서류: 3년간 보존
	  – 보수교육실시기관의 장은 다음 연도 보수교육계획서를 매년 12월 31일까지, 보수교육 전년 도 실적보고서는 매년 3월 31일까지 보건복지부장관에게 제출
	• 보수교육 면제자
	  – 대학원 및 의학전문대학원 · 치의학전문대학원에서 해당 의료기사 등의 면허에
	  – 상응하는 보건의료에 관한 학문을 전공하고 있는 사람
	  – 군 복무 중인 사람(군에서 해당 업무에 종사하는 의료기사 등은 제외)
	  – 해당 연도에 의료기사 등의 신규 면허를 받은 사람
	  – 보건복지부장관이 해당 연도에 보수교육을 받을 필요가 없다고 인정하는 요건을 갖춘 사람
	• 보수교육 유예자
	  – 해당 연도에 보건기관 · 의료기관 · 치과기공소 또는 안경업소 등에서 그 업무에 종사하지 않은 기간이 6개월 이상인 사람
	  – 보건복지부장관이 해당 연도에 보수교육을 받기가 어렵다고 인정하는 요건을 갖춘 사람

법규 2-1-14 A항   의료기사 등의 보수교육 관련 사항을 설명할 수 있다.

3년 이하의 징역 또는 3천만원 이하의 벌금 사항	• 의료기사 등의 면허 없이 의료기사 등의 업무를 한 사람 • 타인에게 의료기사 등의 면허증을 빌려 준 사람 • 업무상 알게 된 비밀을 누설한 사람(※ 고소가 있어야 공소 제기 – 친고죄) • 치과기공사의 면허 없이 치과기공소를 개설한 자(개설 등록한 치과의사는 제외) • 치과의사가 발행한 치과기공물제작 의뢰서에 따르지 아니 하고 치과기공물 제작 등 업무를 행한 자 • 안경사의 면허 없이 안경업소를 개설한 사람

	TIP!
	• 500만원 이하의 벌금
	  – 2개소 이상의 치과기공소를 개설한 경우
	  – 등록을 하지 아니 하고 치과기공소를 개설한 경우
	  – 의료기사 등의 면허 없이 의료기사 등의 명칭을 사용한 경우
	• 100만원 이하의 과태료
	  – 실태와 취업 상황을 허위로 신고한 경우

법규 2-1-19 A항   의료기사 등의 3년 이하의 징역 또는 3천만원 이하의 벌금 사항을 열거할 수 있다.

지역보건의료계 획의 내용(공통)	• 보건의료 수요의 측정 • 지역보건의료서비스에 관한 장기 · 단기 공급대책 • 보건의료자원의 조달 및 관리 • 지역보건의료서비스의 제공을 위한 전달체계 구성 방안 • 지역보건의료에 관련된 통계의 수립 및 정리

법규 3-1-5 A항   지역보건의료계획의 수립 등에 대해 설명할 수 있다.

012

지역보건의료 계획의 수립 절차	절차: 상향식으로 위로 올라감 • 시장 · 군수 · 구청장 → 시 · 군 · 구위원회의 심의 → <u>지역보건의료계획 수립 → 시 · 군 · 구의</u> <u>회에 보고 → 시 · 도지사에게 제출</u> • 시 · 군 · 구의 지역보건의료계획을 받은 시 · 도지사 → 시 · 도위원회의 심의 → 지역보건의료 계획을 수립 → 시 · 도의회에 보고 → 보건복지부장관에게 제출
법규 3-1-5 A항	지역보건의료계획의 수립 등에 대해 설명할 수 있다.

013

보건소의 설치	• <u>시 · 군 · 구별로 1개소</u> • 보건소를 추가로 설치 · 운영 – 지역주민의 보건의료를 위하여 특히 필요하다고 인정하는 경우 – 보건소 추가 설치: 행정안전부장관은 <u>보건복지부장관과 미리 협의</u> • 2개 이상의 보건소가 설치되어 있는 경우 업무를 총괄하는 보건소를 지정하여 운영
	TIP! • 만성질환의 치료를 위하여 <u>읍 · 면 · 동에 건강생활지원센터</u>를 설치할 수 있다. • <u>병원의 요건을 갖춘 보건소는 보건의료원</u>이라는 명칭을 사용할 수 있다.
법규 3-3-1 A항	보건소의 설치를 설명할 수 있다.

014

전문인력의 적정 배치	• 보건복지부장관 – 지역보건의료기관의 전문인력의 자질 향상을 위하여 필요한 교육훈련을 시행 – 전문인력의 배치 및 운영 실태를 조사(2년마다) – 전문인력의 적절한 배치 및 운영이 필요하다고 판단하는 경우 <u>시 · 도지사에게 전문인력 등</u> <u>의 교류 권고</u> • 시 · 도지사 – 지역보건의료기관 간에 전문인력의 교류 – 지역보건의료기관의 <u>전문인력의 자질 향상을 위하여 필요한 교육훈련을 시행</u> • 전문인력의 임용자격기준(영 제17조) – 지역보건의료기관의 기능을 수행하는 데 필요한 면허자격 또는 전문지식이 있는 사람 – 해당 분야의 업무에서 <u>2년 이상 종사한 사람 우선적으로 임용</u> • 전문 교육훈련의 대상 및 기간 – 기본교육훈련: 신규로 임용되는 전문인력 – <u>3주 이상</u> – 직무 분야별 전문교육훈련: 재직 중인 전문인력 – 1주 이상
법규 3-3-8 A항	전문인력 등의 배치 및 운영실태조사를 설명할 수 있다.

015

건강검진의 신고	• 관할 보건소장에게 신고(건강검진 등 실시 10일 전까지)
	• 지역주민 다수를 대상으로 건강검진 또는 순회진료 등을 하려는 경우
	• 의료기관이 의료기관 외의 장소에서 지역주민 다수를 대상으로 건강검진 등을 하고자 하는 경우
	출제 POINT Q. 간호대학에서 의료봉사활동을 위해 지역주민을 대상으로 건강검진을 하려는 경우 누구에게 신고하여야 하는가? A. 관할 보건소장

| 법규 3-4-2 A항 | 건강진단 등의 신고를 설명할 수 있다. |

016

구강보건사업 기본계획의 수립	• 구강보건에 관한 조사, 연구 및 교육사업
	• 수돗물불소농도조정사업
	• 학교구강보건사업
	• 사업장 구강보건사업
	• 노인, 장애인 구강보건사업
	• 임산부 및 영유아 구강보건사업
	• 구강보건 관련 인력의 역량강화에 관한 사업
	• 그 밖에 대통령령으로 하는 사업

| 법규 4-2-2 A항 | 구강보건사업 기본계획의 내용을 열거할 수 있다. |

017

구강보건사업 계획 수립	• 기본계획은 5년마다 수립하여야 한다.
	• 보건복지부장관: 기본계획 수립
	• 시 · 도지사: 세부계획 수립
	• 시장 · 군수 · 구청장: 시행계획 수립
	• 학교 구강보건사업에 관하여는 학교의 장과 미리 협의하여야 한다.

| 법규 4-2-1 A항 | 구강사업계획의 수립을 설명할 수 있다. |

018

구강건강실태 조사	• 구강건강상태조사 및 구강건강의식조사로 구분하여 실시, 3년마다 정기적으로 실시
	• 보건복지부장관이 실시
	• 관계 기관 · 법인 또는 단체의 장에게 필요한 자료의 제출 또는 의견의 진술을 요청할 수 있다.

| 법규 4-2-6 A항 | 구강건강실태조사에 대하여 설명할 수 있다. |

학교 구강보건 사업	유치원 및 학교의 장이 해야 하는 사업(영 제9~12조): 어린이집 제외 • 구강보건교육 • 구강검진 • 칫솔질과 치실질 등 구강위생관리 지도 및 실천 • 불소용액양치(규칙 제10조) • 치과의사 또는 치과의사의 지도에 따른 치과위생사의 불소 도포 • 지속적인 구강건강관리 • 그 밖에 학생의 구강건강증진에 필요하다고 인정되는 사항
	TIP! 학교의 장은 학교 구강보건사업의 원활한 추진을 위하여 그 학교가 있는 지역을 관할하는 보건소에 필요한 인력 및 기술의 협조를 요청할 수 있음

법규 4-4-1 A항	학교 구강보건사업을 설명할 수 있다.

노인 구강보건 교육사업	• 치아우식증의 예방 및 관리 • 치주질환의 예방 및 관리 • 치아마모증의 예방과 관리 • 구강암의 예방 • 틀니 관리 • 그 밖의 구강질환의 예방과 관리

법규 4-5-3 A항	노인·장애인 구강보건사업을 설명할 수 있다.

021

이공	• 하악 제2소구치 아래에 후상방으로 열려 있는 구멍 • 이신경과 이혈관 통과 • 하순의 피부 및 점막, 턱끝의 피부에 분포

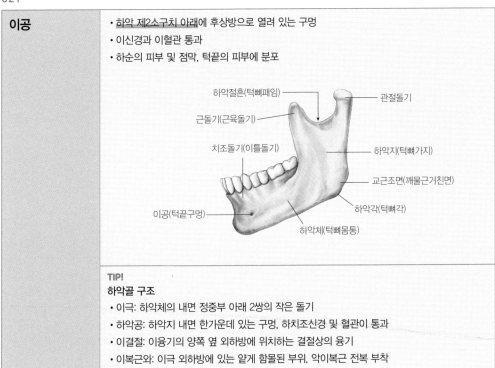

하악절흔(턱뼈패임) ─ 관절돌기
근돌기(근육돌기) ─
치조돌기(이틀돌기) ─ 하악지(턱뼈가지)
교근조면(깨물근거친면)
이공(턱끝구멍) ─ 하악각(턱뼈각)
하악체(턱뼈몸통)

TIP!
하악골 구조
• 이극 : 하악체의 내면 정중부 아래 2쌍의 작은 돌기
• 하악공 : 하악지 내면 한가운데 있는 구멍, 하치조신경 및 혈관이 통과
• 이결절 : 이융기의 양쪽 옆 외하방에 위치하는 결절상의 융기
• 이복근와 : 이극 외하방에 있는 얕게 함몰된 부위, 악이복근 전복 부착

해부 2-2-4 A항 | 하악골의 외측면에서 관찰되는 구조물을 설명할 수 있다.

익돌근조면	• 하악지 내측면 하악각 가까이에 있는 거친 면
	• 내측익돌근 정지 부위

익돌근와(날개근오목)
하악소설(턱뼈혀돌기)
하악공(턱뼈구멍)
후구치패드(어금니뒤덩어리)
구후삼각(어금니뒤삼각)
악설골신경구(턱목뿔근신경고랑)
익돌근조면(날개근거친면)
설하선와(혀밑샘오목)
악설골근선(턱목뿔근선)
이극(턱끝가시)
턱밑샘오목(악하선와)
이복근와(두힘살근오목)

외측익돌근
내측익돌근
하악각

해부 2-2-5 A항	하악골의 내측면에서 관찰되는 구조물을 설명할 수 있다.

상악신경 분포영역		가지		분포영역
	관골신경 (광대신경)	관골측두신경(광대관자신경)		측두부 피부, 누선 분비에 관여
		관골안면신경(광대얼굴신경)		관골부 피부
	익구개신경절 (날개입천장신경절)	구개신경 (입천장신경)	대구개신경 (큰입천장신경)	상악 구치부 설측 치은 및 점막
			소구개신경 (작은입천장신경) (코가지)	연구개, 구개수, 구개편도
		비지 (코가지)	비구개신경 (코입천장신경)	상악 전치부 설측 치은 및 점막
	안와하신경 (눈확아래신경)	후상치조신경(뒤위이틀신경)		상악 대구치 및 그 부위의 협측 치은, 상악동 점막
		중상치조신경(중간위이틀신경)		상악 소구치 및 그 부위의 협측 치은
		전상치조신경(앞위이틀신경)		상악 전치 및 그 부위의 순측 치은
	종말지	하안검지(아래눈꺼풀가지)		하안검
		외비지(바깥코가지)		코의 바깥 부위
		상순지(위입술가지)		상순

하안와열(아래눈확틈새)
안신경(눈신경)
상악신경(위턱신경)
익구개신경절(날개입천장신경절)
하악신경(아래턱신경)
대구개신경과 소구개신경(큰입천장신경과 작은입천장신경)
후상치조신경(뒤위이틀신경)
중상치조신경(중간위이틀신경)
관골신경(광대신경)
안와하관(눈확아래관)
안와하신경(눈확아래신경)
전상치조신경(앞위이틀신경)
치신경총(치아신경얼기)

해부 7-2-3 A항	상악신경의 주요 가지를 설명할 수 있다.

설골상근	종류	작용
	악이복근(두힘살근)	• 설골이 고정되면 하악골을 후하방으로 끌어 당김 • 전복: 개구운동의 말기에 작용
	경돌설골근(붓목뿔근)	음식섭취 시 설골을 후상방으로 당김
	악설골근(턱목뿔근)	• 설골이 고정되면 하악골을 끌어내려 개구운동을 도움 • 구강저 형성, 혀를 올림
	이설골근(턱끝목뿔근)	• 설골이 고정되면 하악골을 끌어내려 개구운동을 도움 • 구강저 형성, 설골을 내밀고 올림

목의 근육

해부 3-2-2 A항 | 설골상근의 종류와 작용을 설명할 수 있다.

악관절의 구조	

	• 하악두(턱뼈머리): 관절면과 비관절면으로 구분
	• 하악와(턱관절오목): 측두골의 인부에 위치
	• 관절결절 및 관절융기: 관절결절은 관골궁 뒤에 위치, 괄절융기는 관절결절 내측에 위치
	• 관절원판(관절원반): 치밀결합조직, 혈관과 신경 없음, 충격완화 및 관절 내 표면 보호, 복잡하고 다양한 운동을 가능하게 함
	• 원판후(뒤)결합조직: 성긴결합조직, 혈관 풍부
	• 관절낭(관절주머니): 윤활막(활액 분비로 영양공급, 마찰이 최소화되도록 윤활작용)과 섬유막으로 구성
	• 관절후(뒤)돌기: 후퇴운동 시 후방탈구 방지, 측방운동시 지렛대 역할
	• 원판인대(원반인대): 하악운동 시 하악두로부터 관절원판 이탈 방지
	• 관절공간(관절강): 관절낭 속에 있는 빈 공간
	  – 상관절강(위관절공간): 활주운동
	  – 하관절강(아래관절공간): 접번운동 또는 회전운동

해부 4-1-4 A항 | 악관절의 구조를 설명할 수 있다.

설인신경	• 일반감각신경: 혀의 뒤쪽 1/3 부위, 인두 위쪽에 분포
	• 특수감각신경: 혀의 뒤쪽 1/3 부위 미각 담당
	• 운동신경: 경돌인두근에 분포
	• 부교감신경: 이하선 분비

해부 7-4-2 A항 설인신경의 기능을 설명할 수 있다.

악동맥	*하악부(아래턱부분)

		가지	분포영역
하악부		심이개동맥(깊은귓바퀴동맥)	악관절, 외이도, 고막
		전고실동맥(앞고실동맥)	고막, 고실 점막
		중격막동맥(중간뇌막동맥)	뇌경막, 두개관의 골막, 삼차신경절, 안면신경, 슬신경절, 고막장근
		부경막동맥(덧뇌막동맥)	뇌경막, 삼차신경절
		하치조동맥(아래이틀동맥)	하악공을 통과하여 하악관으로 들어감
		• 치지(치아가지)	하악 견치, 소구치, 대구치 및 그 부위의 치은
		• 절치지(앞니가지)	하악 절치 및 그 부위의 치은
		• 이동맥(턱끝가지)	턱부위, 하순
		• 설지(혀가지)	설하부 점막
익돌근부		심측두동맥(깊은관자동맥)	측두근
		교근동맥(깨물근동맥)	교근
		익돌근동맥(날개근동맥)	내측익돌근, 외측익돌근
		협동맥(볼동맥)	협근
익구개부		후상치조동맥(뒤위이틀동맥)	상악 소구치, 대구치 및 그 부위의 협측 치은, 상악동 점막
		안와하동맥(눈확아래동맥)	
		• 전상치조동맥(앞위이틀동맥)	상악 전치부 및 그 부위의 순측 치은
		• 안면지(얼굴가지)	안와하공 부근의 근육, 누낭
		익돌관동맥(날개관동맥)	인두의 상부, 이관, 중이, 고실
		하행구개동맥(내림입천장동맥)	
		• 대구개동맥(큰입천장동맥)	경구개 뒤쪽(상악 구치부 설측 치은), 구개선
		• 소구개동맥(작은입천장동맥)	연구개, 구개편도
		접구개동맥(나비입천장동맥)	
		• 하행중격동맥(내림중격동맥)	경구개 앞쪽(상악 전치부 설측 치은) 및 점막
		• 후외측비지(뒤가쪽코가지)	비강의 뒤쪽, 사골동, 전두동 및 상악동 점막

해부 6-2-5 A항 악동맥의 분포영역을 설명할 수 있다.

028

우각상징 (Angle symbol)	순면 또는 협면에서 볼 때 근심우각은 각이 작고 예각이며 원심우각은 각이 크며 둔각
	TIP! • 절치의 절단연은 우각상징이 잘 나타난다. • 우각상징은 절치의 절단연과 구치의 교합연에서 잘 나타난다.
형태 9-1-2 A항	우각상징을 설명할 수 있다.

029

복근치 (Complex root tooth, Double root tooth)	• 1개의 치관에 2개의 치근 • 상악 제1소구치(협측근, 설측근) • 하악 대구치, 하악 유구치(근심근, 원심근)
	TIP! **치근의 수에 따른 치근분류** • 단근치(Single root tooth): 1개의 치관과 1개의 치근 　– 상ㆍ하악 전치(1~3), 상악 제1소구치를 제외한 소구치 　– 유전치(A~C) • 다근치(Multiple root tooth): 1개의 치관에 3개 이상의 치근 　– 상악 대구치(설측근, 근심협측근, 원심협측근) 　– 상악 유구치(설측근, 근심협측근, 원심협측근)
형태 8-3-1 A항	치근의 수에 따른 치근을 분류할 수 있다.

030

하악 중절치	• 하악 중절치의 부위별 형태학적 특징	
	근심면	• 접촉부위: 절단 1/3부위 • 순측연과 설측연의 최대풍융부위: 치경 1/3부위
	원심면	• 근심면과 형태가 거의 비슷 • 접촉부: 절단 1/3부위에 위치 • 근심면과 원심면이 대칭적인 형태(4개의 절치 중 유일함)
	치근	• 단근치 • 근심면: 중앙부를 횡주하는 융선 • 원심면: 중앙부에 함몰된 구가 나타남 → 치근에서 좌·우측 구별이 더 뚜렷함
	TIP! **하악중절치 주요 특징** • 좌.우 대칭적이다. • 1치아 대 1치아 관계로 교합한다. • 순 · 설폭 > 근 · 원심폭 • 근심반부 = 원심반부	
형태 10-3-5 B항	하악 중절치의 근 · 원심의 특징과 접촉부위를 설명할 수 있다.	

031

하악 견치의 특징	• 상악 견치와 유사하지만 크기가 작음 　– 치관폭(근원심폭경, 순설폭)이 좁고, 치관길이는 긺 　– 융선과 구, 결절의 발육이 상악 견치보다 약함 • 구강 내에서 치관의 길이가 가장 긴 치아 • 근심면, 원심면의 치경선 만곡도 차이가 가장 큰 치아
형태 11-2-1 B항	하악 견치의 발육단계를 설명할 수 있다.

032

상악 제1소구치의 특징	• 2개 치근(협측근 > 설측근), 2개 교두(협측교두 + 설측교두) • 우각상징, 만곡상징이 반대로 나타남 • 1개의 횡주융선 • 개재결절 : 근심변연융선에 위치 • 협측반부 : 설측반부 = 3 : 2 • 교합면에서 협측을 볼 때 원심반부는 풍융, 근심반부는 완만
형태 12-1-1 B항	상악 제1소구치의 발육단계를 설명할 수 있다.

033

유치와 영구치의 차이점	외적인 차이점 • 유치는 영구치보다 치관과 치근이 전체적으로 작음 • 유치의 치관은 치근에 비해서 아주 짧음 • 유전치의 치관에서 치근길이에 대한 치관폭의 비율이 영구치에 비하여 큼 • 전치치관의 근 · 원심폭은 영구치보다 좁고, 유구치 치관의 근 · 원심폭은 영구치보다 넓음 • 유구치의 협 · 설면은 치근의 치경부 1/3부위가 근 · 원심으로 잘록함 • 인접면에서는 협면과 설면의 치경부 융선과 유전치 설면결절이 영구치보다 잘 발달되어 있음 • 유구치 인접면은 협면과 설면이 교합면을 향하여 심하게 경사져서 교합면의 협 · 설폭이 영구치보다 좁음 • 유치의 치근은 가늘고 길며 특히 유구치의 치근은 심하게 벌어져 이개도가 큼 • 유치의 색은 청백색 혹은 유백색이고, 영구치는 황백색 혹은 회백색임 • 우각상징은 유전치에서는 명확하나 유견치, 유구치에서는 영구치에서보다 불명확함 내적인 차이점 • 법랑질이 영구치에 비해서 얇으며 두께가 비교적 일정함 • 상아질도 얇아서 결과적으로 볼 때 수실이 큼 • 수각은 높고 특히 유구치의 근심수각이 더 큼 • 치근관이 영구치보다 가늠
형태 14-1-4 A항	유치와 영구치의 차이점을 설명할 수 있다.

하악 제1대구치 교합면의 구조물	외형
	• 불규칙한 부등변사각형, 근원심경 > 협설경
	• 우각: 근심협측우각 · 근심설측우각(예각), 원심협측우각 · 원심설측우각(둔각)
	교두(5개)
	• 교두높이: 근심설측교두 > 원심설측교두 > 근심협측교두 > 원심협측교두 > 원심교두
	• 교두크기: 근심협측교두 > 근심설측교두 > 원심설측교두 > 원심협측교두 > 원심교두(원심교두는 가장 작으면서 뾰족한 교두정을 가짐)
	• 근심횡주융선: 근심협측교두의 삼각융선과 근심설측교두의 삼각융선의 연합
	• 원심횡주융선: 원심협측교두의 삼각융선과 원심설측교두의 삼각융선의 연합
	와, 소와
	• 와(3개): 중심와, 근심와, 원심와
	• 소와(3개): 중심소와(근심협측구, 원심협측구, 설측구, 근심구, 원심구), 근심소와(근심구, 근심협측삼각구, 근심설측삼각구, 근심변연구), 원심소와(원심구, 원심설측삼각구, 원심변연구) *원심와가 제일 얕고 불분명하고, 중심소와가 가장 깊음
	• 삼각구(3개): 원심협측삼각구가 없음(근심협측삼각구, 근심설측삼각구, 원심설측삼각구 有)
	• 발육구(4개): 중심구, 근심협측구, 원심협측구, 설측구
	융선
	• 삼각융선(4개): 원심교두에는 삼각융선과 삼각구 없음
	• 횡주융선(2개): 근심횡주융선(근심협측삼각융선 + 근심설측삼각융선), 원심횡주융선(원심협측삼각융선 + 원심설측삼각융선)
	• 근심변연융선이 원심변연융선보다 발육이 좋고 높이나 폭도 넓음

형태 13-4-4 A항 | 하악 제1대구치의 교합면에 나타나는 교두를 설명할 수 있다.

035

상피조직의 특성	• 생체의 외표면 및 내표면을 덮는 막 모양의 세포집단 • 혈관이 분포되어 있지 않아 결합조직으로부터 확산에 의한 영양공급 • 세포간질(세포사이물질)이 거의 없어 상피세포끼리 결합력이 강함(연접구조의 형태) • 특수하게 분화되어 있음: 보호, 흡수, 분비, 감각, 호흡 기능 등의 수행 • 상피세포로부터의 유래: 털, 손톱, 선(샘), 법랑질 • 재생속도가 매우 빠름(구강점막 > 표피)
조직 2-1-1 A항	상피조직의 특징을 설명할 수 있다.

036

섬유모세포	• 결합조직의 주체 • 섬유단백질(교원, 탄력, 세망섬유 등) 생성 • 무정형 세포간질의 대사에 관여 • 창상치유 시 증식이 빨라짐
조직 3-1-3 A항	결합조직을 구성하는 세포를 설명할 수 있다.

037

융합부전	• 구순파열 : 상악돌기와 내측비돌기(or 내측비돌기와 내측비돌기)의 융합부전 • 구개파열 : 좌우 구개돌기와 비중격의 융합부전 • 거구증 : 상악돌기와 하악돌기의 융합부전 • 소구증 : 상악돌기와 하악돌기의 과다한 융합 **TIP!** • 인중 형성: 내측비돌기와 내측비돌기의 융합
조직 6-2-2 A항	구순열 및 구개열의 원인을 설명할 수 있다.

038

법랑질 성장선	법랑질 성장선: 횡문, 레찌우스선조, 주파선조, 신생선 • 횡(선)문: 가로무늬근, 법랑소주를 가로지르는 선, 하루 4 μm 성장 • 레찌우스선조: 잘 발달된 횡선문이 이어진 것, 사람의 영구치에서 뚜렷이 나타남 • 주파선조: 레찌우스 선조가 법랑질 표면에 도달하는 부위 표면에 형성된 얕은 고랑 • 신생선: 레찌우스선이 출생에 의해 생긴 선
조직 9-1-3 A항	법랑질의 성장선에 대하여 설명할 수 있다.

039

치아를 구성하는 조직의 기원	• 법랑기
	  – 외법랑상피: 법랑기관의 보호
	  – 내법랑상피: 법랑모세포로 분화
	  – 성상세망(법랑수): 법랑바탕질의 생성
	  – 중간층: 석회화에 필요한 알칼리성 인산효소 함유
	• 치유두: 상아모세포(→상아질) 및 치수로 분화
	• 치소낭: 백악모세포로 분화

조직 7-2-7 B항	치아를 구성하는 조직의 기원을 설명할 수 있다.

040

무세포성 백악질 (1차 백악질)과 유세포성 백악질 (2차 백악질)	**무세포성 백악질(1차 백악질)** • 치아의 형성과 맹출 시 생성됨 • 조직 중에 세포를 함유하고 있지 않음 • 치경부 1/3에는 여러 층으로 침착됨 • 생성속도가 느림 • 샤피섬유가 굵은 다발을 형성하고 기질 내에서 다수 매몰됨 • 두께의 변화 없음 **유세포성 백악질(2차 백악질)** • 치아가 맹출한 후 기능에 적응하기 위해 생성됨 • 기질 중에 백악세포를 함유 • 치근단 부위와 다근치의 치근 분지부에서 가장 두꺼움 • 샤피섬유가 가늘고 수도 적음 • 시간이 지남에 따라 층이 더해질 수 있음(두꺼워짐)
조직 9-4-4 A항	1차 백악질과 2차 백악질에 대하여 설명할 수 있다.

041

이장점막	• 비각질의 중층편평상피 • 교합압이 덜 노출된 부위 • 유두의 키가 작고 폭이 넓음 • 점막하조직 있음 • 분포: 볼, 치조점막, 혀의 아랫면, 구강저, 연구개의 점막 등 • 융기그물의 수가 적고 덜 뚜렷함
조직 8-1-3 A항	구강점막의 조직학적인 특성을 설명할 수 있다.

042

급성염증	• 병변의 경과(1주~10일)가 빠름 • 염증의 5대 징후가 뚜렷 • 삼출이 현저 → 부종 • 호중구와 단핵구가 중심 → 화농성 염증 시 호중구의 침윤이 두드러짐
병리 2-1-4 A항	급성염증에 관여하는 세포에 대하여 설명할 수 있다.

043

교모	• 생리적 마모 • 저작력(교합)에 의해 발생 • 발생부위(연령과 비례): 절단면, 교합면, 인접면 • 유치와 영구치 모두 발생하며 진행속도가 느림 • 절연결절 및 교두에 생리적 마모: 제3(수복, 병적제2)상아질 형성 • 상아질지각과민증 유발 • 원인: 식습관(섬유질 성분 多 → 촉진), 이갈이, 씹는 담배 등
병리 6-1-2 A항	교모에 대하여 설명할 수 있다.

044

매독	• 매독은 감염된 모체로부터 태반을 통해 태아에 수직 감염됨
	• 선천매독의 3가지 징후: 실질성 각막염, 내이성 난청, 허친슨(Huchinson) 치아
	• 법랑질저형성
	  – 영구치 절치(허친슨 치아): 절단연에 반월상 결손
	  – 제1대구치: 상실대구치(mulberry molar) 형성

병리 5-1-4 A항	구강매독에 관하여 설명할 수 있다.

045

만성 증식성치수염
(치수식육)
	• 노출된 치수에 육아조직 증식이 나타나는 치수염
	  : 우식와 형성 → 치수노출 → 육아조직 증식
	• 자발통 없고 궤양이 형성되기도 함
	• 기계적 자극에 의해 쉽게 출혈됨
	  – 어린이의 유구치에 주로 나타남(범발성 급성 우식) → 풍부한 혈액공급(어린이: 치근단공이 흔히 넓게 열려 있음, 재생능력 증가)
	  – 영구치 구치부 호발(성인에게서 관찰 힘듦)

병리 7-1-6 A항	만성 치수염에 대하여 설명할 수 있다.

046

치근단 낭종	• 이환치: 무수치, 처치치아, 잔근 상태의 치아 • 이장상피형성: 말라세즈 상피잔사로부터 유래 • 무증상, 교합통과 타진통 없음(특이 증상 없음) • 비교적 경계가 확실한 방사선투과상, 악골에서 가장 흔한 낭 • 중심내강(낭종강, 콜레스테로 결정 함유) = 상피조직(중층편평상피) + 육아조직 + 섬유성조직 • 치근단낭을 발치할 때 완벽히 제거하지 않으면 잔류낭 형성
병리 11-1-4 A항	잔류낭에 대하여 설명할 수 있다.

047

악성종양		

특성	양성 종양	악성 종양
성장속도	느림	빠름
성장양상	확장성	침윤성
피막	○	×
전이	×	○
재발	드물다	흔하다
세포분열	적다	많다
전신에 미치는 영향	경미하다	강하다
예후	양호	불량
분화	좋음	나쁨

병리 13-1-4 A항	양성 · 악성 종양에 대하여 설명할 수 있다.

048

치성종양의 분류	• 상피성 치성종양: 법랑모세포종, 선양 치성종양, 석회화 상피성 치성종양, 석회화 치성낭 • 혼합성 치성종양: 복합치아종, 복잡치아종 • 간엽성 치성종양: 치성섬유종, 치성점액종, 양성 백악모세포종
병리 14-1-2 A항	치성종양의 분류와 그에 속한 종양을 열거할 수 있다.

049

세포의 물질이동	• 확산, 삼투, 여과: 고농도에서 저농도로 물질 이동 • 수동적 이동 – 확산: 고농도에서 저농도로의 분자나 이온의 이동 – 삼투: 농도구배에 따라 반투과성막을 통한 용매의 이동 • 능동수송 – 저농도 → 고농도: 농도 차이를 역행해야 하기 때문에 에너지(ATP) 필요 – 나트륨-칼륨펌프
생리 2-1-4 A항	세포의 물질이동을 설명할 수 있다.

050

적혈구	• 핵이 없는 원반형의 세포로 중앙부가 오목함(산소와의 접촉면적 최대화) • 혈액 1 mm³ 당 약 500만 개 • 평균 수명: 120일 • 산소운반기능: 헤모글로빈(혈색소, Hb = 300만 개/적혈구 1개) 색소단백질이 관여 • 철 이온을 포함한 단백질로 산소와 결합할 수 있는 성질 • 용혈: 적혈구가 삼투압보다 낮은 용액에서 파괴되어 헤모글로빈이 나오는 상태(0.9% 생리식염수 활용 = 등장성 용액)
생리 4-1-2 A항	적혈구의 구조와 기능을 설명할 수 있다.

051

타액	• 분비량: 1~1.5 L • pH: 5.5~8.0 (약 6.38) • 미각 감퇴: 50대 후반~60세 이후 현저하게 나타남 • 미각 역치: 온도에 따라서도 맛의 정도가 달라짐
	TIP! • 미각자극: 신맛 > 짠맛 > 쓴맛 > 단맛 • 악하선에서 대부분을 분비 • 안정 시 분비량: 악하선(65%), 이하선(23%), 설하선(4%) • 자극 시 분비량: 악하선(63%), 이하선(34%), 설하선(3%)
생리 15-1-3 A항	타액의 조성과 특성을 설명할 수 있다.

052

위액	• 위액 1,500 mℓ ~2,500 mℓ /1일 • 염산 　– 분비 촉진은 가스트린 호르몬에 의해 조절 　– 위액 0.3%~0.5%, pH 1.0~1.5 　– 살균작용 　– 펩시노겐 및 프로레닌 활성화시켜 펩신, 레닌으로 전환(단백질 분해효소) 　– 음식물 부패 방지 • 점액성분(mucin): 위점막 보호
생리 7-1-2 A항	위액의 성분과 작용을 설명할 수 있다.

053

부갑상선호르몬	파라토르몬(parathormone) • 혈중칼슘농도를 조절: 칼슘농도감소 시 촉진됨(뼈에서의 칼슘이탈 증가 등) • 칼슘 재흡수 촉진(신장) • 칼시토닌과 길항작용
생리 9-1-5 A항	부갑상선 호르몬의 생리작용과 관련질환을 설명할 수 있다.

054

구강점막 표면 감각	표면감각(피부, 점막): 통각, 촉각, 압각, 온각, 냉각 • 통각: 유리신경말단(자유신경종말) 　– 가장 많은 부분 차지 　– 미각에 관여 • 촉각(예민): 마이스너소체(압각), 메르켈소체 • 압각: 파치니 소체(큰 압력) • 온도감각: 루피니 소체(온각), 크라우제 소체(냉각)
생리 12-1-8 A항	구강점막 감각의 기능을 설명할 수 있다.

055

연하단계	• 1단계(구강단계): 음식물이 구강에서 인두로 이송되는 단계, 수의운동 단계, 구순이 닫히고 상하 치아는 교합함 • 2단계(인두단계, 반사성단계): 인두~식도까지의 단계(연하반사), 불수의 단계, 1초 이내 　– 비강차단: 연구개 목젖이 후상방으로 상승해 비강을 폐쇄 　– 후두차단: 설골과 후두는 전상방으로 상승하고 후두개는 하방으로 내려가 기관을 폐쇄시킴 　　→ 호흡/발성은 일순간 정지(연하성 무호흡) • 3단계(식도단계) : 식도~위까지의 단계, 불수의 단계, 식도의 연동운동
생리 17-1-1 A항	연하과정을 설명할 수 있다.

056

세균의 특징	• 원핵세포로 이루어짐 • 세포내소기관: 리보솜 • 세포벽 성분: 펩티도글리칸 성분 • 이분열 증식 • 세포막에서 산화적 인산화 반응
미생물 2-1-1 A항	원핵세포와 진핵세포의 차이점을 설명할 수 있다.

057

세포 표면돌기	• 편모 　– 세균 표면에 단백질로 된 긴 부속기관 　– 세균의 적극적인 운동(장소의 이동)에 관여 　– 종의 특이적인 항원성을 가짐: H항원 　– 편모의 수와 부착부위에 따른 분류: 단모성, 양모성, 속모성, 주모성 • 섬모 　– 편모보다 가늘고 짧은 돌기 　– 핌블리에(fimbriae): 미생물이 부착되는데 쓰이는 부속기관 　– 필리(pili): 성섬모, 미생물을 배우자 세포와 연결시켜 DNA를 교환하는 접합의 경우에 사용 　　되는 부속기관(유전정보의 교환)
미생물 2-1-4 A항	세균의 구조와 각각의 기능을 설명할 수 있다.

058

형질세포	T 림프구 (흉선: 성숙)	억제 T림프구		세포성 면역
		독성 T림프구	항원제거(감염세포, 암세포 등 제거)	
		기억 T림프구		
		보조 T림프구 (도움 T림프구)	B 림프구에게 도움을 주어 형질세포로의 분화를 촉진함	
	B 림프구 (골수: 성숙)	형질세포	항체생산	체액성 면역
		기억세포	2차 침입 시 항원인식, 형질세포와 기억세포로 분화됨	

미생물 4-1-1 A항	선천면역과 획득면역의 특징을 설명할 수 있다.

대상포진	• Varicella-zoster virus에 의해 발생 • 첫 감염: 수두 / 재발: 대상포진 • 수두 치유 → 신경절 잠복감염 → 재활성화 → 지각신경의 지배영역을 따라 대상포진 발증 • 편측성으로 진행 • 특징 : 붉은 반점, 구진, 수포, 가피 등
미생물 12-1-6 A항	수두 - 대상포진 바이러스 감염증 원인 바이러스의 특성과 증상을 설명할 수 있다.

Porphyromonas gingivalis	• 성인성(만성) 치주염의 치주낭에서 높은 빈도로 분리 • 흑색색소를 형성하는 혐기성 그람음성균(증식에 헤민(hemin)과 비타민 K 필요) • 협막이 있어 대식세포 등의 식균작용 방해 • 면역글로불린 분해효소(단백분해효소) 함유: IgA, IgG 분해 • 섬모에 의한 세포 부착: 점막상피나 적혈구 부착능 • LPS (내독소) 함유: 골흡수 활성, 부착성 부여 • 단백분해효소 생산: 콜라게나아제, 트립신양효소(gingipain), 히아루로니다아제 등
미생물 11-1-7 A항	Porphyromonas gingivalis의 특성을 설명할 수 있다.

🔍 지역사회구강보건학(12문항)

공중구강보건학의 특성	• 공동책임이 인식된 사회에서 전개 • 예방사업 위주로 진행 • 분업의 형태(협업의 형태) • 여러 가지 구강병 발생요인을 복합적으로 관리 • 건강한 사람까지도 대상
지역 1-1-6 A항	공중구강보건학의 특성을 설명할 수 있다.

학생 정기구강 검진	**학생 정기구강검진의 목적** • 구강상병을 초기에 발견하여 치료하도록 유도 • 학생의 구강건강상태 파악 • 학교 구강보건기획에 필요한 자료 수집 • 교사와 학생의 구강건강에 대한 관심 증대 • 구강보건자료 수집
지역 3-4-1 A항	학생정기구강검진의 목적을 설명할 수 있다.

063

학생계속구강
건강관리사업
	• 1년 주기로 학생에게서 발생되는 구강질병을 조기에 발견하여 치료하는 학생 구강보건이 가능
	하도록 지원하는 지역사회구강보건 사업
	• 학생계속구강건강관리사업의 효과
	  – 증진구강진료수요가 감소
	  – 연간 구강건강관리비가 감소
	  – 구강진료수요는 관리단계가 지속될수록 감소
	  – 치과의사 1인당 연간 관리 가능학생 수가 증가
	  – 증진구강진료수요와 유지구강진료수요의 차이는 고학년에서 커짐

지역 3-4-2 A항	학생 계속구강건강관리사업을 설명할 수 있다.

064

산업장 구강관리 방법	• 작업환경 개선법 • 근로습관 교정법 • 보호구 착용 • 정기적 구강검진 및 구강보건교육 • 특수건강검진: 특정 유해인자에 노출되는 업무에 종사하는 근로자의 건강관리를 위하여 사업 주가 실시하는 건강검진, 1년에 2회 이상 실시
지역 5-1-2 A항	산업장 구강관리 방법을 설명할 수 있다.

065

집단의 구강건강관리 과정	• 순환주기: 12개월(실태조사 과정에서 관찰되지 않은 인접면 초기우식병소가 치수까지 진행되 기 전에 발견하여 치료할 수 있는 최장기간) • 과정: 실태조사 → 실태분석(필요한 구강보건지표의 산출, 보고) → 사업계획 → 재정조치 → 사업수행 → 사업평가
지역 1-4-7 A항	집단의 구강건강관리과정을 설명할 수 있다.

지역사회 조사 내용 (구강보건실태 조사내용)	조사영역	내용
	구강보건실태	• 주민구강보건의식 • 공중구강보건사업의 수혜자 등 • 활용가능한 구강보건인력자원과 그 활용도 • 구강건강실태(치아우식경험도, 지역사회 치주요양필요 정도) • 정부책임하에 공급되는 구강보건진료에 대한 주민의 견해 • 구강보건진료필요(상대구강보건진료필요, 유효구강보건진료수요, 공중구강보건사업의 형태로 공급할 수 있는 구강보건진료, 구강병 예방사업으로 감소시킬 수 있는 상대구강보건진료필요)
	인구실태	• 인구수/밀도/이동 • 성별/연령별/씨족별/직업별/교육수준별/산업별 인구구성 • 주민의 일반적 건강 및 위생 상태 • 주민의 가치관, 출신 인물
	환경조건	• 음료수 불소이온 농도 • 기상, 토양 • 천연자원, 산업자원, 기존산업시설 • 지역사회 유형(도시, 농촌 등)
	사회제도	• 종교제도, 봉사제도, 가족제도, 행정제도, 경제제도, 교육제도 • 구강보건진료제도 • 일반보건진료제도 • 구강보건제도

지역 7-2-2 A항 | 지역사회 조사내용을 설명할 수 있다.

구분		주요 내용
대화 조사법 (면접법)	정의	조사자가 응답자와 대화하는 형식으로 자료 수집
	장점	• 누구에게나 조사할 수 있음 • 세부사항도 조사
	단점	• 조사시간, 조사경비 많이 소요 • 숙련된 대화기술 요함 • 주관 개입 가능성
설문 조사법	정의	설문지의 설문에 대한 답을 응답자 자신이 기입하도록 하여 필요한 정보를 수집하는 방법
	장점	• 조사시간, 조사경비 절약 • 한 번에 여러 사람 조사 가능 • 면접기술을 요하지 않음
	단점	• 응답자가 요구하는 내용을 잘 이해하지 못해 답을 제대로 기입하지 못할 가능성 • 불성실한 응답자일 경우 그릇된 정보 수집할 수 있음 • 교육수준이 낮은 대상의 설문의 경우 불량한 결과를 수집할 수 있음
관찰 조사법	정의	조사자가 조사대상이 되는 개체나 집단의 실태를 직접 관찰하며 정보 수집 또는 상황을 파악하는 방법 ex 구강검사
	장점	• 조사대상자의 협조를 구할 필요없음 • 다른 조사방법보다 세부사항 포착 가능
	단점	• 조사대상을 적시에 포착하기 어려움 • 고도의 관찰기술 요구 • 관찰과정에 조사자의 주관 개입 가능성이 있음
열람 조사법	정의	정보를 수집하기 전 이미 존재하는 기록을 열람하는 형식으로 정보를 수집하 는 방법
	장점	조사시간, 조사노력, 조사경비 절약
	단점	신뢰할 수 있는 자료를 활용해야 함
사례 분석 조사법	정의	개인, 가족, 단체 또는 지역사회의 사례를 분석하는 형식으로 검토하여 필요 정보 수집 ex 시범지역사회 보건사업
	장점	소수 사례를 집중적으로 분석하고 검토
	단점	조사대상이 되는 사례가 제한적

지역사회 조사 방법

지역 7-2-3 A항 | 지역사회 조사방법을 설명할 수 있다.

지역사회 구강 보건사업 기획의 분류

• 하향식 구강보건 사업기획
 – 정부주도로 진행
 – 일부 후진국에서 채택하는 방식
 – 지역주민의 자발적 참여 어려움
• 상향식 구강보건 사업기획
 – 지역사회 주민의 필요와 방향에 따라 수립
• 공동 구강보건 사업기획
 – 지역사회의 구강보건지도자와 외부의 공중구강보건전문가가 함께 수립

지역 7-2-5 A항 | 지역사회 구강보건사업 기획을 설명할 수 있다.

지역사회 구강보건 평가원칙	• 계속 평가
	• 명확한 기준에 따른 평가
	• 가능한 객관적으로 평가
	• 명확한 평가목적에 따라 평가
	• 계획에 관여했던 사람과 수행에 참여한 사람 및 평가에 영향받을 사람들이 평가
	• 평가과정에 장·단점을 지적
	• 단기효과와 장기전망으로 구분하여 평가
	• 결과를 다음 계획의 기초 자료로 사용
	• 결과를 습득한 경험 자료로 사용

지역 7-2-8 A항 | 지역사회 구강보건 평가원칙을 설명할 수 있다.

연령별 1일 불소 복용량

연령	불소복용량
6~18개월	0.25 mg
18~36개월	0.5 mg
3~6세	0.75 mg
6~12세	1.0 mg

출제 POINT

Q. 식음수 불소이온농도가 0.5 ppm인 지역의 3~6세 아동들에게 불소보충복용사업을 실시하고자 한다. 추가적으로 필요한 불소량(mg/일)은?

A. 0.25 mg

• 3~6세 불소복용량: 0.75 mg

• 기존 0.5 + 추가 0.25 = 0.75 mg

지역 7-5-10 A항 | 연령별 1일 불소복용량을 설명할 수 있다.

불소용액

• 매일 1회: 0.05% NaF 용액

• 1~2주에 1회: 0.2% NaF 용액

• 유치원 아동 5 mℓ, 초등학교 아동 10 mℓ

• 치아우식 예방효과: 약 25~50%

• 자가불소도포법 중 효과가 제일 큼

출제 POINT

Q. 20 L의 식음수로 매일 사용하는 불소양치용액을 조제하려고 한다. 적절한 불화나트륨 함량은?

A. 10 g

• 매일 1회 불소농도: 0.05% NaF

• 불화나트륨 함량: 20,000 mL × 0.05% = 10 g

지역 7-6-1 A항 | 불소용액양치사업의 방법을 설명할 수 있다.

072

구강역학의 조사 과정	• 구강역학: 구강병이 발생하는 데 작용하는 구강병 발생요인과 요인이 작용하는 기전을 규명하는 학문 → 구강보건사업 수립 및 평가자료로 활용 • 구강질병관리원칙: 구강질병이 발생하는 데에 작용하는 요인, 혹은 간접적인 요인을 제거함으로써 구강질병을 효과적으로 관리하는 원리 • 구강역학의 조사과정: 분포결정가설설정가설입증
지역 8-1-2 A항	구강역학의 개념을 설명할 수 있다.

🔍 구강보건행정학(10문항)

073

구강보건진료 수요	• 구강보건진료소비자가 구매하고자 하는 구강보건진료(환자입장) • 상대구강보건진료 필요 중에서 구강보건진료 소비자가 필요하다고 인정한 구강보건진료 필요 (실질적으로 제공받지는 않은 상태) • 영향을 미치는 요인: 구강병의 이환정도, 구강보건진료 소비자의 구강보건의식 수준, 이미 전달된 구강보건진료의 양, 구강진료전달체계, 소비가능 구강진료, 구강진료 필요, 연령 · 성별 · 교육 · 거주지역 등
행정 1-4-5 A항	구강보건진료수요를 설명할 수 있다.

074

구강보건진료 전달제도의 확립방안	• 구강보건진료기관의 균등한 설치 및 분포 • 설치된 구강보건진료기관에 전문인력 확보 • 진료비 상승 억제 • 충분한 재정이 도달 • 진료의 규격화 • 진료기관 간 환자의뢰제도 확립
행정 1-3-2 A항	구강보건진료전달체계의 확립방안을 설명할 수 있다.

075

행위별 구강진료비 책정제도 (행위별 수가제)	• 우리나라의 구강진료비책정제도: 진료행위에 따른 항목별 진료비 책정(행정적 절차가 복잡하고 의료남용 우려) • 소비자가 진료 선택 가능(소비자의 선택권 보장) • 구강진료 단편화와 재활지향 구강진료현상 유발(기술지상주의 팽배 → 지역 의료발전 저해) • 의료공급자의 재량권 확대(의료인과 보험자 간의 갈등), 치료에 집중(과잉진료 경향)
행정 1-6-1 A항	구강보건진료비 결정제도를 설명할 수 있다.

구강보건진료 자원의 분류	인력자원	구강보건관리인력	일반치과의사, 전문치과의사
		진료분담 구강보건보조인력	치과위생사
		진료실진료비분담 구강보건보조인력	구강진료보조원, 간호조무사
		기공실진료비분담 구강보건보조인력	치과기공사
	무형 비인력자원	인적자본	치학지식, 구강진료기술(스케일링 등)
	유형 비인력자원	비인적자본	시설, 장비, 기구
		중간재	재료, 진료약품, 구강환경관리용품

행정 1-5-1 A항　　구강보건진료자원을 분류할 수 있다.

구강보건진료 정보입수권	자기가 전달받아 소비하는 구강보건진료에 대한 정확한 정보를 입수할 구강보건진료소비자의 권리(구강진료에 대한 가격표시제 등)

TIP!
소비자의 권리
- 개인비밀 안전 보장권: 개인의 사생활이 보장되는 권리
- 단결조직 활동권: 기본권의 보장을 위하여 단결하여 조직적인 공동활동을 할 권리
- 피해보상 청구권: 구강진료의 소비에 의한 피해의 공정한 보상을 청구할 권리
- 구강보건의사 반영권 : 구강보건진료생산자에게 불량한 구강진료와 구강진료약품에 대한 시정과 배상 요구 가능
- 구강보건진료 선택권: 전달받아 소비하고자 하는 구강보건진료를 선택할 수 있는 구강보건진료소비자의 권리
- 안전구강보건진료소비권: 구강보건진료소비자의 안전한 구강보건진료를 소비할 권리(무면허자 의료행위 금지 등의 법의 준수)

행정 1-5-2 A항　　소비자의 권리를 설명할 수 있다.

조직의 원리	• 계층원리: 상위자가 하위자에게 책임과 권한을 순차적으로 위임 　– 의사소통 및 통제의 경로(조직 자체가 삼각형의 구조 형성) 　– 조직의 대규모화와 전문화가 될수록 업무의 다양성과 구성원 수가 증가할수록 증가 • 조정원리: 조직의 제반 기능과 업무를 조화롭게 모아서 배열 　– 문제해결을 위한 조직구성 　– 공동목적을 달성하기 위하여 행동의 통일이 일어나도록 하는 집단노력을 질서정연하게 배열해나가는 과정 　– 조정저해요인: 조직의 거대화, 개인의 이해관계, 조정능력의 보족 등 • 분업(전문화)원리: 행정조직 업무를 분류하여 분담하는 원리 　– 장점: 행정능률향상, 도구발달, 업무신속 　– 단점: 조직구성원의 기계화, 일 흥미 상실, 창조성 결여 • 권한위임원리: 최고관리자가 위임한 권한을 부하직원이 관리활동을 수행하게 하는 원리 • 지휘(명령)통일원리: 한 명의 상관으로부터만 명령을 받아야 한다는 원리 • 통제(통솔)범위원리: 통제범위한계를 초과하지 않는다는 원리 　– 직원 수의 한계 및 적정한 팀원의 배치 등 　– 리더의 통솔 범위 확대: 동일 공간에서 직무가 이루어질 경우 **cf** 구강보건행정을 위한 조직 요건: 독자적이고 체계적인 행정조직

행정 2-2-3 A항 조직의 원리를 설명할 수 있다.

정책과정 시 참여자의 역할	비공식적 참여자: 일반국민, 이익집단, 정당, 전문가 집단, 대중매체 • 일반국민 　– 투표 참가 　– 정당의 업무 협조 　– 이익집단의 형성과 활동에 참여 　– 구강보건정보 수집과 토론 후 구강보건의사를 국회의원이나 행정 관료들에게 전달 • 이익집단 　– 로비활동, 전문성, 정보, 재력 등 다양한 수단을 통해 자신들의 이해를 정책에 반영시키려고 활동 　– 정당에 구강보건의사 반영 　– 연합세력 결성 • 정당 　– 정당이 집권하는 경우 정당의 주요한 구성원들이 정책결정담당자로서의 역할을 수행 　– 정당의 정강이 정부의 정책에 반영 • 전문가 집단 　– 정부기관에 소속되지 않음 　– 정책에 대한 참신하고 객관적인 아이디어를 제시 　– 정부의 비대화를 방지 • 대중매체 　– 정책의제설정과 정책평가에 주로 참여 　– 보도를 통해 특정 이슈에 관심을 불러 일으킴

행정 2-3-4 A항 정책과정 시 참여자의 역할을 설명할 수 있다.

미래구강보건상	• 구강보건정책목표, 제1구성요소 • 국민과 정부가 마땅히 지향하여야 할 바람직한 구강보건목표를 의미 • 구강보건정책목표를 대략 구강보건실천목표, 구강보건지원목표, 구강질병예방목표, 구강건강 증진목표 등으로 구분하여 설정

	TIP!
	정책의 구성요소
	• 구강보건발전방향(구강보건정책수단, 구강보건정책도구, 제2구성요소)
	  – 미래구강보건상을 실현시키려는 의도로 창안한 바람직한 행동방향
	  – 구강보건정책목표를 달성하기 위해 실행하여야 할 행동과 실행하지 않아야 할 행동을 밝히는
	    규범적 지침
	• 구강보건행동노선(구강보건정책방안, 제3구성요소)
	  – 미래구강보건상을 실현시키기 위해 바람직한 발전방향에서 벗어나지 않고 현실적으로 실천
	    할 수 있는 가능한 행동 가운데 선정된 행동을 시차별로 배열한 노선
	  – 구강보건정책목표를 달성하기 위해 구강보건발전방향에서 벗어나지 않고 현실적으로 실천
	    할 수 있는 가능한 행동 가운데 선정된 행동의 노선
	• 구강보건정책의지(제4구성요소)
	  – 목표, 정책수단 및 정책방안에 대하여 가지는 의지의 정도
	• 공식성(제5구성요소): 정책의 제도적 요건을 충족, 정식절차를 거쳐 정당성을 확보하는 과정

행정 2-3-2 A항	정책의 구성요소를 설명할 수 있다.

사회보험	• 정의: 국가가 법으로 보험가입을 의무화하여 가입자들로부터 보험료를 각출하고 급여내용을
	  규정하여 실시하는 제도
	  – 법으로 가입을 의무
	  – 재원조달: 국민들에게 각출
	  – 인플레이션에 대처 가능
	  – 경쟁 및 선택의 제한
	• 소득보장: 연금보험, 실업보험
	• 의료보장: 건강보험, 산재보험
	  ⓒ 의료사회보장제도: 건강보험, 의료급여

행정 3-1-4 A항	사회보험을 설명할 수 있다.

공공부조의 종류	생계급여, 주거급여, 의료급여, 교육급여, 해산급여, 장제급여, 자활급여 • 생계보호: 의복, 음식물 및 연료비와 일상생활에 필요한 금품을 지급 • 진료(의료)보호: 진찰, 검사, 약제 · 치료재료 지급, 처치 · 수술과 치료, 예방 · 재활, 입원, 간호, 이송 • 주거보호: 주거 안정에 필요한 임차료, 유지 · 수선비, 수급품 • 자활보호: 취업알선, 근로기회, 시설 및 장비의 대여, 창업교육, 기능훈련 및 기술, 경영지도 등 의 창업지원, 자산형성지원 • 교육보호: 입학금, 수업료, 학용품비 • 해산보호: 조산, 분만 • 장제보호: 사망한 경우 검안, 운반, 화장, 매장
행정 3-1-5 A항	공공부조를 설명할 수 있다.

083

치아상태의 검진지침	• 우식병소로 보지 않는 증상 　– 백색 반점인 백묵모양 반점 　– 변색 반점이나 거친 반점 　– 착색된 소와나 열구 　– 탐침 끝은 걸리나 연화치질이나 유리법랑질을 확인할 수 없는 소와나 열구 • 상실치아로 보지 않는 경우 　– 생리적으로 탈락된 유치도 상실치아에 포함하지 않음 　– 상실원인이 불분명한 경우는 동악 반대측 동명 치아의 상태를 참고하여 판단함 　– 치아의 병력으로도 판단하기 어려운 경우 우식비경험상실치아로 간주함 • 치아검사결과 보고서 형식 　– 2~14세: 매년 보고 　– 15~34세: 5년 단위로 보고 　– 35~64세: 10년 단위로 보고 　– 65세 이상: 한 단위로 보고

통계 1-2-9 A항 ｜ 치아상태의 검진지침을 설명할 수 있다.

084

지역사회 치주요양 필요지수	지역사회 치주요양 필요지수	치주조직검사	치주요양 필요자
	CPITN$_0$ 치주요양 불필요지수	건전 치주조직(0)	치주요양 불필요자(0)
	CPITN$_1$ 치면세균막 관리 필요지수	<u>출혈 치주조직(1)</u>	치면세균막관리 필요자(1)
	CPITN$_2$ 치면세마 필요지수	치석부착 치주조직(2)	치면세마 필요자(2)
		천치주낭형성 치주조직(3)	
	CPITN$_3$ 치주조직병치료 필요지수	심치주낭형성 치주조직(4)	치주조직병치료 필요자(3)

통계 1-2-10 A항 ｜ 지역사회치주요양 필요지수를 설명할 수 있다.

085

반점치 검진지침	딘(Dean)의 반점도 판정기준 • 의문 반점치아: 0.5점 • 경미도 반점치아: 1점 • 경도 반점치아: 2점 • 중등도 반점치아: 3점 • 고도 반점치아: 4 점

통계 1-2-11 A항 ｜ 반점치 검진지침을 설명할 수 있다.

제1대구치 건강도의 산출	• 4개의 제1대구치(#16, 26, 36, 46)를 평점 • 최저 0점, 최고 40점 • <u>건전치 1치 당 10점, 우식치아는 1치면 당 1점씩 감점, 충전치아는 1치면 당 0.5점씩 감점, 상실 치는 0점으로 처리하여 제1대구치 4개의 건강도 평점을 산출</u>

• 제1대구치 건강도 = $\dfrac{\text{총 제1대구치 건강도 평점}}{40} \times 100$

제1대구치 우식경험률 = 100 제1대구치 건강도(%)

건전한 제1대구치		10점
상실치, 발거지시 제1대구치		0점
미처치 우식 제1대구치	1치면이 우식 이환	1점 감점
	2치면이 우식 이환	2점 감점
	3치면이 우식 이환	3점 감점
	4치면이 우식 이환	4점 감점
	5치면이 우식 이환	5점 감점
충전된 제1대구치	충전이 1치면에 국한	0.5점 감점
	충전이 2치면에 국한	1.0점 감점
	충전이 3치면에 국한	1.5점 감점
	충전이 4치면에 국한	2.0점 감점
	충전이 5치면에 국한	2.5점 감점
인조치관		7.5점(2.5점 감점)

통계 1-3-3 A항	제1대구치 건강도를 산출할 수 있다.

영구치우식증 산출지표	우식영구치율(DT rate)	처치영구치율(FT rate)	상실영구치율(MT rate)
	우식경험영구치 중 우식영 구치의 백분율	우식경험영구치 중 처치영 구치의 백분율	우식경험영구치중 상실영구치의 비율
	$\dfrac{\text{우식영구치 수}}{\text{우식경험영구치 수}} \times 100$	$\dfrac{\text{처치영구치 수}}{\text{우식경험영구치 수}} \times 100$	$\dfrac{\text{상실영구치 수}}{\text{우식경험영구치 수}} \times 100$
	• 치아우식증을 조기 치료하는 집단 ↓ • 소득수준과 교육수준이 높은 집단 ↓ • 계속구강건강관리를 받은 집단 ↓	• 치아우식증을 조기 치료하는 집단 ↑ • 소득수준과 교육수준이 높은 집단 ↑ • 계속구강건강관리사업을 수행하는 집단 ↑	• 연령과 정비례, 문화수준과 반비례 • 수돗물 불소농도조정사업 혜택을 받지 못한 지역 ↑ • 치아우식증을 조기 치료하는 집단 ↓ • 소득수준과 교육수준이 높은 집단 ↓ • 계속구강건강관리사업을 수행하는 집단 ↓

Tip!
우식경험영구치: 우식치아, 충전치아, 우식원인발거치아
처치영구치: <u>충전치아</u>

통계 1-3-1 A항	영구치우식 산출지표를 설명할 수 있다.

우식치명률의 산출	• 우식치명률 = $\dfrac{\text{우식으로 인한 상실치 수 + 발거대상우식치 수}}{\text{우식경험치 수}} \times 100(\%)$ • 전체 우식경험치아 중에서 우식으로 인한 상실치아와 발거대상우식치아의 백분율 • 문화수준이 높은 지역사회의 주민에서는 비교적 낮음

통계 1-3-5 A항 | 우식치명률을 산출할 수 있다.

유두 · 변연 · 부착치은염 지수(P–M–A index) 산출	• 상 · 하악 전치부 순측에 있는 5개의 치은유두를 중심으로 유두치은(P), 변연치은(M), 부착치은으로 나누고 치은염이 발생되어 있는 근심부 치은의 수를 합하여 치은염의 정도를 수량화하는 지표 • 단위치은의 P, M, A 세 부위 중 염증이 발생된 부위의 수 • 최저점 0점, 최고점 30점: 염증이 있으면 → 1점, 염증이 없으면 → 0점 • 검사시간이 짧기 때문에 집단의 치주조직검사에 활용 가능 • 학교집단잇솔질사업 수행집단, 구강보건지식수준, 소득수준이 높을수록 낮게 나타남

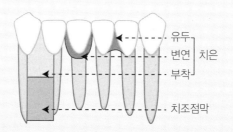

구분		P	M	A	지수
최고치	상악	5	5	5	30
	하악	5	5	5	
최저치	상악	0	0	0	0
	하악	0	0	0	

통계 1-3-7 A항 | 유두변연부착치은염지수를 산출할 수 있다.

치석지수 (calculus index, CI)	0점	치석이 없는 경우
	1점	치은연하치석은 없고 치은연상치석이 치경부측 1/3 정도에 존재
	2점	치은연상치석이 치면의 2/3 이하로 존재하거나 치은연하치석이 점상으로 존재
	3점	치은연상치석이 치면의 2/3 이상(3등분된 모든 부위)으로 존재하거나 치은연하치석이 환상으로 존재

통계 1-3-9 A항 | 구강환경지수를 산출할 수 있다.

091

동기화의 방법	• 내재적(자연적) 동기유발 : 행동의 전개가 목표로 되어 있는 것 　– 학습목표의 확인 　– 학습결과의 환기 및 확인 　– 성공감(성취동기) • 외재적(인위적) 동기유발 : 행동의 목표가 행동 이외의 것으로 인위적이며, 외적 자극으로 인해 행동이 수단의 역할을 하고 있는 경우로 상과 벌, 경쟁과 협동 등이 있음 　– 상과 벌 　– 경쟁과 협동
통계 1-2-9 A항	동기화의 방법을 나열할 수 있다.

🔍 구강보건교육학(10문항)

092

교육목표의 분류	• **지적영역(인지적 영역): 지식의 습득(강의법)** 　– 암기수준: 단순한 지식의 암기로만 교육목표가 달성되는 수준으로 모든 교육의 기초 　ⓔⓧ 치아의 기능을 나열할 수 있다. 　– 판단수준: 지식에 대한 암기뿐 아니라 완전히 이해하여 해석 및 설명, 판단하여 얻은 지식 　ⓔⓧ 치아우식 진행과정을 설명할 수 있다. 　– 문제해결수준: 지적영역의 지식수준 중 가장 높은 수준으로, 지식에 대한 완전한 학습과 이해가 된 후 습득된 지식을 바탕으로 새로운 문제가 제기되었을 때 교육받은 내용을 기본으로 문제를 해결 할 수 있는 수준의 지식 　ⓔⓧ 구강상태에 따른 구강건강증진을 위한 칫솔질 방법을 설명할 수 있다. 　ⓔⓧ 구강병이 발생하였을 때 구강보건의료기관을 방문할 수 있다. • **정의적 영역: 태도의 변화(관찰법)** 　– 교육 후 학습자의 태도 변화를 기대하는 영역 　– 매우 포괄적이고 복합적인 요소를 갖고 있음(객관적으로 측정이 어려움) 　ⓔⓧ 학생은 올바른 방법으로 칫솔을 보관할 수 있다. • **정신운동영역(심리운동영역): 수기의 습득(시범)** 　– 수기(skill)는 학습을 통하여 지적활동이 가능하게 된 상태에서 신체적 운동이 행동으로 나타남을 뜻함(측정 가능) 　ⓔⓧ 회전법으로 치아를 닦을 수 있다.
교육 3-2-1 A항	다음을 정의할 수 있다. 1) 지적 영역(인지적 영역) 2) 정의적 영역 3) 정신운동 영역(심리운동 영역)

093

블룸(Bloom)의 교육목표 개발 5원칙(RUMBA)	• 실용적(real)　　　　　　　　　이해가능(understandable) • 측정가능(measurable)　　　　　행동적(behavioral) • 달성가능(achievable)
교육 3-1-3 A항	블룸(Bloom)의 교육목표 개발 5원칙을 나열할 수 있다.

094

시범실습	• 학습내용을 실제로 교육자가 학습자에게 전 과정을 천천히 실시해 보임으로써 학습자가 따라 할 수 있도록 하는 교육방법(관찰과 모방)
	• 장점
	    – 말이나 글로 설명하는 것보다 학습내용과 과정을 정확히 전달 가능
	    – 태도 영역의 학습에도 적용 가능(학습이 빠르고 행동수정이 즉시 가능함)
	    – 교육목표별 학습내용을 이해하고 관찰하여 간단하게 정리할 수 있음
	    – 학습자는 교육목표를 직접 실시하면서 습득할 수 있음
	    – 흥미유발과 동기유발 용이(기술 습득)
	• 단점
	    – 시범하기에 적당한 장소와 시설이 준비되어야 함
	    – 추상적인 것은 다루기 어려움
	    – 교육자는 정확하게 시범을 보이고 설명을 할 수 있어야 함
	    – 서툰 시범은 학습자에게 불만의 반응을 일으킴
	    – 학생 수에 제한이 있어 비경제적(시간조절의 어려움)

교육 4-2-1 B항 | 다음의 각 교수법을 정의할 수 있다. 1) 강의 2) 토의 3) 시범실습 4) 상담

095

토의법	• 원탁토의: 보통 5~10명 정도의 소집단으로 원탁에 둘러 앉아 정해진 주제에 대해 자유롭게 서로의 의견을 교환하는 방법
	• 그룹토의: 훈련된 지도자가 전체 집단을 5~10명 정도의 소집단으로 나누어 공통의 관심사에 대하여 대화를 나누는 방법
	• 배심토의: 토의 문제에 관한 지식과 경험이 풍부한 전문가가 사회자 아래 청중 앞에서 자유토의하는 방법
	• 세미나: 참가자 모두가 토의주제 분야에 권위 있는 전문가나 연구가들로 구성된 소수집단의 형태
	• 대화식 토의
	    – 대개 6~8명의 구성으로 청중대표와 전문가 및 참여인사로 구성
	    – 대화를 통해 문제해결을 위한 질의응답을 하는 방법
	• 버즈토의
	    – 대규모 토의집단을 소집단 6명 정도로 나눈 다음 소집단끼리 토의
	    – 한 장소에서 여러 개의 소집단이 각각 토의함
	• 심포지엄: 특정주제에 대해 권위 있는 2~5명 정도의 전문가가 각기 다른 의견을 발표한 후 이를 중심으로 사회자가 토의를 진행시키는 방법
	• 브레인스토밍: 특정한 주제에 대하여 생각나는 아이디어를 자유롭게 산출하는 방법
	• 워크숍: 집단으로 사고하고 작업하여 문제를 해결하려는 교육방법

교육 4-2-2 A항 | 다음의 교수법의 특성을 설명할 수 있다. 1) 강의 2) 토의 3) 시범실습 4) 상담

096

학교 구강보건 교육의 기획	• 구강보건교육은 학교교육의 일부로서 균형과 조화있는 교육 실시 • 교직원과 학생이 함께 계획 수립 • 학교의 주도적 역할로 계획 수립 • 계속적으로 수립 • 학교와 지역사회의 종합적인 전체 구강보건사업계획의 일부로 수립 • 지역사회의 협조를 얻는 계획을 수립 • 행동적인 결과를 가져오는 계획 수립 • 실천 가능한 계획 수립 • 학교와 지역사회의 종합적인 전체 구강보건사업계획의 일부로 수립
교육 7-1-1 A항	학교 구강보건교육을 기획할 수 있다.

097

치면세균막관리를 위한 교육목표 설정원칙	교육대상자의 구강보건문제를 확인하고, 개개인에 적합한 교육목표 수립 • 치주조직상태 • 치아배열 상태와 전신건강상태 • 교육대상자의 연령 • 구강위생 관리상태 • 동기유발인자 등의 요인을 고려하여 설정
교육 8-1-6 A항	치면세균막관리를 위한 교육목표 설정 시 고려사항을 설명할 수 있다.

098

개별환자 교육 내용작성을 위한 교수학습의 과정	① 환자 요구도 조사 → ② 환자 가치관과 이해도 측정 → ③ 교육목적 및 목표개발 → ④ 정보교환 및 교습 → ⑤ 교육 및 평가 ① 환자 요구도 조사: 개개인 환자가 갖고 있는 요구도를 찾아내는 것 ② 환자 가치관과 이해도 측정: 환자가 가장 중요하다고 생각되는 내용 • 경제적 문제나 시간활용, 통증에 대한 공포, 나이, 성별, 교육수준 등에 따라 환자의 가치관 달라질 수 있음 ③ 교육목적 및 목표개발: 환자의 요구도와 가치관을 잘 파악하고 환자의 특성을 고려하면서 교육목적과 목표를 구체화하여 설정 ④ 정보교환 및 교습 • 환자가 교육 프로그램을 확실히 이해하고 충분히 숙지할 수 있도록 모형이나 사진, 그림 등을 이용하여 환자에게 성공적인 치료와 구강관리를 위한 방법을 교육 • 교육 내용은 환자의 지식 정도, 환경 등 개인에게 맞는 수준으로 설정 • 각 단계별로 학습한 후 학습한 내용을 각 단계별로 확인 ⑤ 교육 및 평가 • 교육: 정보나 지식의 전달뿐만 아니라 환자의 구강건강관리 습관, 구강보건행동과 태도까지도 변화시킬 수 있어야 함 • 평가: 환자가 교육에 대한 이해와 방법의 수행 등이 적절하게 이루어지고 있는가에 대하여 평가
교육 9-1-3 A항	개별환자 교육내용작성을 위한 교수학습 과정을 설명할 수 있다.

교육내용에 따른
구강보건교육
평가방법
	• 학습자 성취도 평가
	  – 학습자의 능력이나 태도 또는 행동을 어떤 기준에 비추어 평가
	 ⓔⓧ 회전법으로 칫솔질을 잘하는가?
	• 교육 유효도 평가
	  – 교육방법이나 교육기재와 같은 교육과정에 관련되는 요인을 어떤 기준에 비추어 평가
	 ⓔⓧ 회전법 칫솔질을 교육하기 위해 적절한 교육매체를 이용하였는가?
	• 구강보건증진도 평가
	  – 구강보건을 증진시킨 정도를 어떤 기준에 비추어 평가
	 ⓔⓧ 회전법 칫솔질 전과 후의 치면착색제 제거율 비교
	  – 구강위생지수, 간이구강위생지수, 구강환경관리능력지수

교육 12-1-2 A항	교육내용에 따른 구강보건교육평가방법을 설명할 수 있다.

간접구강보건
교육방법
	• 교육자와 학습자가 접촉하지 않고 책자나 팜플렛 같은 구강보건 교육매체를 이용하는 교육방법
	  – 시청각교육: 눈과 귀를 통하여 구강보건지식을 학습자에게 전달하는 공중 구강보건교육 방법
	  – 이론구강보건교육: 학습자에게 구강보건 지식을 이론만 전달하는 방식
	• 장점: 시간과 노력 절약
	• 단점: 교육의 효과 부정확, 동기 유발 적음

교육 10-2-1 A항	구강보건교육자원을 설명할 수 있다.

🔍 예방치과처치 (18문항)

구강병 관리의 원칙					
	병원성기		질환기		회복기
	전구 병원성기	조기 병원성기	조기 질환기	진전 질환기	
	건강증진	특수방호	초기치료	기능감퇴제한	상실기능재활
	1차 예방		2차 예방	3차 예방	
	• 영양관리 • 구강보건교육 • 칫솔질 • 치간세정푼사질 • 생활체육	• 식이조절 • 불소복용 • 불소도포 • 치면열구전색 • 치면세마 • 교환기유치발거 • 부정교합 예방 • 전문가 치면세균 막관리 • 구취관리	• 초기 우식병소 충전 • 치은염치료 • 부정교합차단 • 정기구강검진	• 치수복조 • 치수절단 • 근관충전 • 진행우식병소충전 • 우식치관수복 • 치주조직병 치료 • 부정치열 교정 • 치아 발거	• 가공의치 보철 • 국부의치 보철 • 전부의치 보철 • 임플란트 보철

예치 1-4-3 A항	구강병 관리의 원칙을 설명할 수 있다.

치아우식 발생요인	숙주요인	환경요인	병원체요인
	① 치아요인 • 치아의 성분 • 치아의 형태: 교합면 소와와 열구 • 치아의 위치와 배열 ② 타액요인 • 타액의 유출량 • 타액의 점조도 • 타액의 수소이온농도지수(pH) • 타액의 완충작용 • 타액의 항균작용 • 타액 성분 중 칼슘과 인산의 함량 ③ 구강외 신체요인 • 종족과 민족성(생물학적 요인) • 연령	• 구강내 환경요인: 치면세균막 • 구강외 환경요인 　– 자연환경요인: 식음수 불소 　이온농도 　– 사회환경요인: 경제수준, 　생활환경, 음식습관	뮤탄스 연쇄상구균

예치 2-3-1 A항 치아우식병의 발생요인을 설명할 수 있다.

화학세균설	• 화학설과 세균설을 결합한 것 • 세균이 만든 화학물질, 즉 산(acid) 성분에 의해서 1차적으로 무기질이 이탈되고 2차적으로 유기질이 탈락되어 치아가 파괴된다는 설. 밀러(Miller)가 주장(1882) • 문제점 　– 황색소의 침착기전 설명 불가능 　– 산으로만 치질이 백묵화(진정한 우식이 아님) 　– 유기질이 먼저 파괴되는 것을 설명 못함

예치 2-4-1 A항 화학세균설을 설명할 수 있다.

치아우식병의 예방법	숙주요인 제거법	치질내산성 증가법	불소복용법, 불소도포법
		세균침입로 차단법	치면열구전색법, 질산은 도포법
	환경요인 제거법	치면세균막관리법 (세치법)	칫솔질, 치간세정, 양치질, 껌 저작, 글루칸 분해효소
		음식물 관리법	우식성식품 금지, 청정식품 섭취
	병원체요인 제거법	당질분해 억제법	비타민 K 이용, Sarcosaid (사르코사이드) 이용
		세균증식 억제법	요소, 암모늄, 엽록소, 나이트로퓨란, 항생제 배합 세치제 사용법

예치 2-5-1 A항 치아우식병의 예방법을 설명할 수 있다.

치주질환 예방법	• 구강외 신체요인과 기능적 요인의 제거
	   – 구강외 신체요인이 되는 임신, 당뇨, dilantin, 스테로이드, 스트레스, 피로, 직업성 습관 등의 신체적 조건을 개선시킨다.
	   – 구강내 기능적 요인인 음식물 치간압입, 치간세정푼사 오용을 줄인다.
	   – 구강외 기능적 요인인 흡연, 담배저작, 과도음주 등을 줄인다.
	• 구내요인의 제거
	   – 환경요인인 치면세균막 제거: 칫솔질, 치간세정법, 치면세마 등 시행
	   – 외상성 교합, 치아관계, 치아의 기능부전 등 원인요소 제거하거나 개선
	• 치면세균막 관리와 치석제거: 치주병의 국소적 관리, 즉 구강환경관리를 통하여 많이 억제될 수 있음

예치 4-1-6 A항 치주병의 예방법을 설명할 수 있다.

구강환경관리 능력지수 (PHP Index)	• 6개 치아를 대상으로 각각 1개 치면을 검사한다. • 1개 치면을 5등분으로 나누어 평가한다. • 최하 0점, 최고치는 5점

평균 치면세균막지수	판정
0~1 미만	관리가 잘 된 상태
1~2 미만	보통
2~3 미만	불량
3 이상	매우 불량

예치 6-3-3 A항 구강환경관리능력지수(PHP Index)를 설명할 수 있다.

스나이더 검사	① 개념

① 개념
- 색 지표(color indicator)로써 bromocresol green을 함유하고 산도가 4.7~5.0으로 맞추어져 있는 당질 배지에 자극성 타액을 주입하여 산 생성 속도를 측정하는 방법
- 구강 내 산 생성능을 비색적으로 측정하는 검사법
- 지시약 bromocresol green을 함유한 탄수화물 배지 내에서 타액세균의 산 생성능력에 근거를 두고 있으며 결과는 지시약이 녹색에서 황색으로 변하는 정도에 따라 결정

② 과정
- pH 5.0인 스나이더 테스트(snyder test) 배지를 준비한다.
- 준비된 시험관(test tube)에 각각 5cc씩 배지를 분배하고 솜마개(cotton plug)로 막는다.
- 250°F (121℃), 15파운드의 압력 하에서 15분간 멸균한다.
- 식사 전 또는 잇솔질 전에 파라핀 왁스를 저작하여 3분 동안 분비되는 자극성 타액을 수집한다.
- 0.2 ㎖의 타액을 배지에 넣은 후, 시험관을 10분 동안 열탕 속에서 용해시켜 타액과 배지가 섞이게 한다.
- 실온에서 30분 동안 두었다가 37℃ 배양기에 넣어 72시간 동안 배양한다.
- 24시간 간격으로 배지색의 변화를 관찰한다.

우식활성도	24시간	48시간	72시간
무 활성	(녹색)	(녹색)	(녹색)
저도 활성	(녹색)	(녹색)	+ (황색)
중등도 활성	(녹색)	+ (황색)	+ (황색)
고도 활성	± (황색)	+ (황색)	+ (황색)

예치 12-2-4 A항	구강 내 산생성 균 검사(Snyder test)를 설명할 수 있다.

타액분비율 검사	① 개념

타액분비율 검사

① 개념
- 타액의 분비량과 점조도는 치면의 자정작용과 매우 밀접한 관계
- 타액의 분비량이나 이화학적 성질은 여러 가지 요인에 따라 심하게 변하므로, 안정상태에서 분비되는 비자극성 타액분비량과 일정한 자극을 줄 때 분비되는 자극성 타액 분비량을 별도로 측정하여 평가

② 과정
- 안정 상태(비자극성)의 타액 분비량 측정: 5분 동안 분비되는 타액을 타액 수집용 시험관에 수집하여 그 양을 1분당 ㎖ 단위로 측정
- 자극 상태의 타액 분비량 측정: 약 1.0 g 정도의 무가향 파라핀 왁스를 저작하면서 5분간 분비되는 타액을 타액수집용 시험관에 수집

③ 판정: 평균 타액유출량(by mercer)
- 비자극성 타액: 3.7 ㎖/5min
- 자극성 타액: 13.8 ㎖/5min → 자극성 타액이 8.0 ㎖/5min 이하일 때는 주의
- 비자극성 타액의 경우 1분당 0.1 ㎖/min, 자극성 타액의 경우 1분당 0.3 ㎖/min 이하일 때 구강건조증으로 판단 → 타액분비 촉진을 위해 필로칼핀 투여

④ 필로칼핀 복용방법
- 필로칼핀 0.3 g을 증류수 15 ㎖에 섞어 물이나 우유에 타서 복용
- 첫째날 1일 3회, 식사 직전에 5방울씩 복용, 1회 복용량이 8~10방울씩 될 때까지 매일 1방울씩 서서히 증량하여, 계속 매일 3회 식사 직전에 8~10방울씩 복용
- 장기간 대량 섭취시 부작용: 눈물, 위장관의 기능 촉진, 안면 홍조, 대량의 발한과 침흘림, 축동, 하리, 맥박 급속, 오심, 구토, 순환장애 환자에게 폐부종 일으키고 급사

TIP!
- 타액분비율 검사: 자극성 타액 13.8 ㎖/5min → 자극성 타액이 8.0 ㎖/5min 이하일 때는 주의
- 타액점조도 검사: 자극성 타액의 평균비교점조도(by mercer) : 1.3~1.4 → 비교점조도가 2.0 이상일 때 주의
- 타액완충능 검사

타액완충능	판정기준
매우부족	6방울 미만
부족	6~10방울 미만
충분	10~14방울 미만
매우충분	14방울 이상

예치 12-2-1 A항   타액분비율 검사를 설명할 수 있다.

와타나베법	• 구강을 약간 벌린 상태에서 칫솔의 강모단을 치아 사이에 밀어넣고, 이쑤시개질 하듯이 치아 사이에 침착되어 있는 음식물을 반복적으로 밀어내어 치면세균막을 제거하는 방법으로, 만성 치주염에 효과적
	• 칫솔: 중강도의 2×6칫솔
	• 칫솔질 과정
	  – 파지법: 펜 파지법(pen grasp)
	  – 전치부 순면은 치아장축과 칫솔면이 30°, 소구치는 약 50°, 대구치는 약 70° 각도로 위치시켜 순면에서 설면으로 치간 사이를 중심으로 미는 동작을 계속 반복
	  – 설면은 칫솔을 비스듬히 넣고 장축에 사선으로 위치시켜 칫솔 끝부분 반 정도의 강모단으로 설면에서 협면으로 밀어냄
	  – 처음에는 전문가가 직접 시술해주도록 하며 감각을 익힌 후 환자 스스로가 습관화되도록 시도하는 방법

예치 7-3-1 A항	와타나베법을 설명할 수 있다.

지각과민증 관리법	• 치석과 세균막 조절법: 회전법, 정상교합 유지, 스켈링, 약강도 칫솔, 약마모도 세치제 사용 • 상아질 표면의 피복법: 지각과민 처치제(MSCoat), 상아질 지각과민 둔화 약제 포함 세치제 • 표면 석회화 촉진법: 불소 이용(불소이온도입기 이용) • 레진 충전법: 손상된 부분에 레진 사용 • 약물을 이용한 변성 응고법 • 불소바니쉬 도포: 천연레진에 불소가 혼합되어 있는 상태로 치아에 잘 달라붙어 매우 오랫동안 불소를 유리하며 불소의 효과 최대화 → 지각과민과 충치예방에 매우 탁월
예치 14-7-4 A항	지각과민증의 관리법을 설명할 수 있다.

가공의치 (bridge)의 인공치 기저부 청결	• 가공의치부위: 챠터스법 또는 개량챠터스법 – 치간 사이나 인공치아 기저부와 지대치 주위 치면세균막을 제거 • 자연치아부위: 치은에 문제없으면 회전법, 치은염 수반 시 개량바스법 • 인공치아기저부, 가공의치의 지대치와 인공치아 사이: 치실고리 또는 super floss • 치아표면 잘 닦기 위해 개량챠터스법 사용하도록 한다.
예치 6-4-4 A항	가공의치 장착자를 위한 칫솔질 교습법을 설명할 수 있다.

전색술식	광중합법
치면열구전색 치면청결	• 스켈러나 탐침으로 열구나 소와의 치석, 치면세균막, 음식물잔사나 착색 제거, 연마 • 글리세린이 포함되지 않은 연마제를 사용
치아분리	• 방습면봉으로 전색 대상치아를 타액과 분리 • rubber dam: 소아에게 rubber dam 방법을 권장
치면건조	• air syringe로 air 불어 치면 건조
산부식	• 30~50% 인산을 작은 면구나 스폰지, 작은 붓에 묻혀 두드리는 동작으로 전색의 외형에 따라 바르도록 함 • 영구치는 1분, 유치는 1분 30초 정도 부식(제품에 따라 20~30초), 반점치는 내산성이 강하기 때문에 15초 정도 추가적인 산부식 필요, 연조직에 닿지 않도록 주의
물세척	• water syringe로 물을 공기와 함께 치아에 대고 세척
건조	• 방습면봉을 사용한 경우 새로운 방습면봉으로 교체 • 미리 구강 밖에서 공기분사만을 작동시켜 tip의 내부에 남아 있는 수분과 미량의 기름성분 등을 불어낸 다음 구강 내에서 작동시켜 치아를 건조시킴 • 치과용 건조기를 추가적으로 사용→ 완벽한 건조상태 유지 • 산부식된 상태 확인
전색재 도포	① 전색재 준비 • 자가중합형: 도포 직전에 base와 catalyst를 필요한만큼 각각 같은 양으로 혼합용기에 떨어뜨려 균일하게 섞이도록 혼합하여 적용 • 광중합형: 한개의 용기에 들어 있는 전색재를 혼합용기에 떨어뜨리거나, 전색재 용기(carrier)에 팁(tip)을 끼워 적용 ② 도포방법 • 광중합형: 전색재가 들어 있는 주사기모양의 용기에 tip을 부착시켜 직접 소와나 열구를 따라 천천히 도포 • 대상치아의 형태학적 구조를 고려하여 도포
전색재의 경화	• 광조사: 광조사기의 tip을 전색재가 도포된 치면의 2~3 mm 위에 수직방향으로 대고 스위치를 킴 • 하나의 전색부위에 약 20초간 광조사 실시하면 중합반응이 일어나 경화됨 • 술자나 환자의 눈에 직접 닿지 않도록 주의 요함 • 한 개의 치아라도 교합면과 협면 등 두 개의 분리된 전색외형으로 시술하게 될 경우에는 각 면마다 따로 따로 각각 광조사 시행
경화 시 주의 사항	① 중합된 후 덜 채워진 부분은 부가적인 산부식 없이 전색재를 더 채워 넣을 수 있음 ② 건조상태가 유지되지 않은 상태에서의 전색의 수정은 산부식과 건조과정을 반복하여 시행 ③ 전색재로 덮이지 않은 산부식된 치면은 1시간에서 몇 주 이내에 정상적인 법랑질 표면으로 됨
교합 및 인접면 검사	① 교합검사 • 저속엔진을 사용하여 round bur로 교합이 높은 부위를 갈아주고 polighing bur를 사용하여 전색부위를 연마 • 전색 후의 교합은 약간 낮게 해주는 것이 전색재의 유지와 수명을 연장시켜 줌 ② 인접면 검사: 과잉전색재를 스켈러로 제거 ③ 치면연마 • 자연 경화된 표면: 가장 매끄러우며 활택한 표면을 보임 → 일반적으로 연마의 필요성은 없다 • 교합 조정 후 표면이 거칠기 때문에 polishing bur로 부분연마 시행하고 prophy-lactic angle과 rubber cup 및 고운 pumice나 산화아연가루(zinc oxide powder)를 사용하여 표면을 활택하게 연마

예치 10-5-1 A항 전색과정을 단계별로 설명할 수 있다.

치면열구전색의 적응증	• 임상적인 평가: 탐침으로 긁어 보았을 때 탐침끝이 걸릴 정도의 좁고 깊은 소와나 열구를 가진 치아 • 치면열구의 형태 : U자형, I자형, 역Y자형 • 원심소와가 완전히 맹출되지 않았더라도 선택된 소와가 완전히 맹출된 경우 • 동악 반대측 동명치아의 치면에 우식이 있거나 수복물이 있는 치아의 건전한 교합면 • 소와 및 열구에 초기우식병소가 있는 경우 • 협면이나 설면에 좁고 깊은 소와를 가진 전치부의 구개면이나 설면의 경우

예치 10-2-1 A항	치면열구전색의 적응증을 열거할 수 있다.

불화나트륨의 특성	• 고운 분말로 되어 있어 적정량의 물을 타서 사용 • 농도: 2% (증류수 98 ml + 불화나트륨 2 g) • 보관: 플라스틱 용기에 2%로 만들어 보관, 6개월 유효 • 무색, 무미, 무취, 무자극(안정성)으로 아동에게 사용하기 좋고 1주 간격 4회 반복 도포 • 전기자극에 이온분리가 잘 되므로 이온도입법의 재료로 쓰기에 적합

예치 9-2-1 A항	불화나트륨을 설명할 수 있다.

불소이온도포법	순서	내용
	① 불소이온도 입기 준비	불소이온도입기, 이온트레이 및 연결선과 도포봉 준비, 2% NaF 용액 준비
	② 치면 세마	글리세린이 포함되지 않은 pumice 사용
	③ 치아 분리	• 먼저 상악부터 불소도포 실시한 후 하악 실시 • 방습면봉 이용
	④ 치면 건조	
	⑤ 전처치	① 면봉으로 불소용액을 묻혀 치면의 세밀한 부위, bracket 주위 치면 등에 미리도포 ② 치간 부위는 unwaxed dental floss에 용액을 묻혀 flossing
	⑥ 이온 트레이 장착	① 이온트레이의 솜이나 스폰지에 용액을 촉촉이 적신다. ② 트레이를 삽입 후 트레이가 움직이지 않게 고정시킨다.
	⑦ 이온도입기의 작동	① 연결선을 이온 트레이의 손잡이에 나와 있는 금속판에 접지시킨다. ② 전극봉을 환자의 손으로 꼭 잡게 하고 이온도입기기의 전류조절장치와 시간 조절 장치를 0으로 고정 후 전원 스위치를 켠다. ③ 전류를 서서히 올려 100 μA~200 μA 정도로 조절한다. : 환자가 약한 전류에서도 동통을 느끼면 전류를 낮추어야 함 ④ 시간은 4분으로 조정 ⑤ 환자가 전극봉에 불이 꺼질 때까지 전극봉을 꼭 잡고 있도록 한다. → 술자나 보호자가 전극봉을 잡아준다든지, 환자의 몸에 손을 대는 것은 전류의 분산을 초래하므로 환자와의 일체 접촉을 금한다.
	⑧ 후처치	① 시간, 전류조절장치가 0으로 되돌아오면 트레이와 연결선의 접지 부분을 분리시키고 환자에게 전극봉을 놓게 한다. ② 구강 내 이온 트레이 제거한 후 suction tip과 면봉 제거 ③ 도포 후 물로 양치하는 것을 금지시킨다.

예치 9-3-5 A항	불소이온 도포과정을 설명할 수 있다.

식이조절과정	① **식이조사**: 조사 대상자의 모든 식습관 파악 위해 5일 간 식생활 일지 작성하게 하는 방법(반드시 주말이 포함, 모든 음식물 기록함, 음식섭취량은 가정용 도량형 단위로 표시, 조리방식 기록) ② **식이분석**: 5일 간 식생활 일지 바탕으로 섭취한 음식의 종류, 빈도, 성상 등을 조사 분석하는 과정 • 1단계: 모든 우식성 식품 빨간색으로 표시 • 2단계: 우식성 식품의 성상, 섭취시기 분류, 5일 중 우식 발생 가능시간 산출 • 3단계: 시기별로 청정식품 섭취시기 분석 • 4단계: 기초식품의 섭취실태 분석 ③ **식단상담**: 환자의 식이조사 및 분석이 끝난 후 결과를 가지고 환자와 의견을 나누는 과정 • 치아우식 병소의 확인 • 치아우식발생에 작용한 불량 식이습관을 지적 • 불량 식습관 형성 원인을 검토 • 식단처방의 방향을 설명 ④ **식단처방**: 식이조사, 식이분석, 식단상담 등의 세 단계에 수집한 자료를 토대로 환자에게 권고할 식단을 처방하는 과정 • 1단계: 대상자의 일부 섭식습관을 칭찬 • 2단계: 기초식품군별로 식단을 개선하도록 도움 • 3단계: 우식성 식품을 제거, 섭식시간 지정 • 4단계: 비우식성 식품을 간식으로 섭취하도록 권장 • 5단계: 대상자가 개선된 식단을 작성하도록 함

예치 11-4-4 A항 | 식이조절 과정을 설명할 수 있다.

치아우식예방 식단처방	• 가능한 한 일일 음식식음 횟수를 3회의 정규식사로 한정, 간식은 불리 • 보호음식의 식음을 권장 • 탄수화물의 섭취량을 총 섭취 열량의 30~50%가 되도록 감소 • 당함량이 높고 부착성 높은 우식성식품의 섭취를 제한 • 신선한 과일이나 야채와 같은 청정식품의 섭취를 권장

예치 11-4-6 A항 | 치아우식예방 식단처방의 준칙을 열거할 수 있다.

구취관리법	① 자가 치료
	• 칫솔질: 구강 청결히 하는 가장 기본적인 방법, 매 식후와 취침 전에 시행
	• 중탄산나트륨 세치제 선택: 2.5% bicarbonate 세치제는 휘발성 유황화합물을 감소시키는 데 효과적
	• 혀솔질(설태 제거): 설배면 후방부의 설태 제거, 혀세정기 이용
	• 구강관리보조용품 사용: 치실, 치간칫솔 이용해 치면세균막 관리
	• 구강세정제 사용
	② 전문가 치료
	• 항균성 양치액: 진료실에서 세균 검사 후 처방
	– 0.2% chlorhexidine, mycostain, listerine, twophase oil water, $ZnCl_2$
	• 초음파 치석제거기를 이용한 혀 세정: 치석제거기 끝을 한 곳에 고정시키지 말고 계속 움직여야 하며 충분히 물 뿌리며 시행
	• 치석제거를 비롯한 치주치료 시행: 스케일링, 치주치료, 구취환자 중에 치주상태가 좋지 않은 경우에 시행
	• 보존치료: 치아우식병 있는 치아는 적절한 보존치료 시행
	• 보철치료: 오래된·보철물과 불량한 보철물 치료
	• 절개와 배농

예치 13-1-4 A항	구취의 관리법을 설명할 수 있다.

🔍 치면세마론(20문항)

획득피막 (후천성 엷은 막)	• 두께: 0.05~0.8 μm
	• 치아를 산으로부터 보호해 주다가, 세균이나 세포 탈락물질 등이 음식물 잔사와 함께 결합되면서 치면세균막 형성의 핵물질로 발전함
	• 칫솔질 또는 치면세마 후 수분 내에 형성
	• 세균이 없는 것이 특징
	• 노출된 치면 위나 보철물 또는 치석 위에 직접 형성
	• 후천성 엷은 막이 세균 등과 결합하여 치면세균막으로 변함

치세 2-1-2 A항	후천성 엷은 막에 대하여 설명할 수 있다.

120

구분	치은연상치석	치은연하치석
관찰	기구 사용	기구 이용, 투조, 방사선사진
형성 과정	타액성	치은열구내 삼출액, 조직액
위치	유리치은연 상방	유리치은연 하방
색깔	백, 황색	흑, 갈색
치밀도	쉽게 부서지고 점토상	단단하고 부싯돌 같음
분포	하악 전치부 설면, 상악 구치부 협면 (타액선 개구부위에 형성)	전 치은연 하방이나 하악 전치부

치은연상치석

치세 2-2-1 A항 치은연상치석에 대하여 설명할 수 있다.

121

의과병력 (Medical history)

- 대상자가 과거에 앓았거나 현재 앓고 있는 전신병력을 기록
- 현재는 증상이 없거나 치료가 끝난 질병이라도 모두 포함하여 조사

TIP!
- 시진: 환자의 현증을 눈으로 보고 파악하는 방법
- 청진: 신체 내부에서 발생되는 소리를 청취함으로써 정보를 얻는 검사 방법
- 타진: 손가락이나 기구로 치아 등을 두들겨 봄으로써 환자의 반응이나 소리에 의해 정보를 얻음
- 촉진: 진찰대상을 직접 만져보거나 눌러봄으로써 조직을 통한 촉각을 감지하는 방법
- 방사선사진 검사법: 표준사진이나 파노라마 등을 촬영하여 검사
- 기구조작: 탐침이나 치주낭 측정기 같은 검사기구로 치아나 치주조직을 검사하는 방법
- 전기치수 검사: 전기치수 검사기구로 전기적 자극을 치아에 가해 치수의 생활력 상태를 판단하는 검사 방법
- 구강외 검사: 구강 외에서 악관절 및 림프절 등을 검사

치세 4-1-4 B항 의과병력(Medical History)의 개념을 설명할 수 있다.

치과 차팅 기호

건강하거나 치료된 상태: Blue or black color		병적인 상태: Red color	
기호(Charting code)	내용	기호(Charting code)	내용
Missing tooth	‖	Caries	C13
Resin inlay	R.I.	Root rest	R.R.
Amalgam filling	A.F.	Cervical abrasion	Abr.
Gold crown	G.Cr.	Abscess	Abs.
Gold bridge	G.Br.	Fistula	Ft.
Uneruption	‖‖	Fracture of the crown	Fx
Partial eruption	△	Tooth mobility	Mo(+)(+++)
Mesioangulation	MA		
Interdental space	V		
Percussion reaction	P/R(+)		

치세 4-3-1 A항 치과진료기록 기호(Charting Key)를 이용하여 대상자의 구강내 상태를 작성할 수 있다.

환자의 자세

- 수직자세(up-light position)
  - 치과용 의자의 등받이가 바닥과 80~90°가 되도록 조절하여 앉히는 방법
  - 병력 청취, 구강 외 검진, 불소 국소도포 시, 알지네이트 인상채득 및 구강방사선 촬영 시 사용
- 경사자세(semi up-light position)
  - 하악치아의 교합면이 바닥과 거의 수평이 되도록 하며 등받이를 바닥과 45° 정도로 조절하여 환자를 앉히는 방법
  - 임산부나 심혈관 질환자, 호흡기 질환자 등에게 실시
- 수평자세(supine position, 앙와위자세)
  - 상악치아의 교합면이 바닥과 거의 수직상태를 이루게 하거나 등받이와 머리받이가 일직선상을 이루도록 조절하여 환자를 앉히는 방법
  - 상악부위 시술 시 자주 사용
  - 조명은 바닥과 45°각도
- 변형 수평자세(modified-supine position)
  - 하악치아의 교합면이 바닥과 거의 수평상태를 이루게 하거나 등받이와 머리받이가 일직선상이 된 상태에서 바닥과 20° 이내에서 의자를 조절하여 환자를 앉히는 방법
  - 하악부위 시술 시 사용
- 트렌델렌버그 자세(Trendelenberg position)
  - 등받이가 바닥과 30~40° 바닥쪽으로 경사지게 위치하여 심장이 머리보다 높은 자세
  - 쇼크 상태일 때 적용

치세 8-1-1 A항 환자의 자세를 설명할 수 있다.

치주탐침의 용도	• 치주낭 깊이 측정 • Probing 시 치은출혈 확인(출혈지수) • 치은퇴축의 측정 • 치은증식 측정 • 임상적 부착소실 • 부착치은 폭 측정 • 치은열구 형태 • 다근치 분지부의 골 파괴 정도와 치근 이상 • 구강내 병소의 크기 측정

치세 7-2-8 A항	치주탐침의 용도에 대하여 설명할 수 있다.

시클 스케일러 (Sickle scaler)	• 절단연: 날의 내면과 측면이 만나 2개의 절단연 형성 • 배면: 2개의 측면이 만나 형성 • 경부: 전치부직선형, 구치부굴곡형 • 횡단면: 삼각형 • 날의 내면과 측면의 각도: 70~80° • 날의 내면과 경부의 각도: 90° • 치은연상에 부착된 다량의 치석과 치은변연 하부 1 mm까지 연장되어 부착된 치석 제거

치세 7-2-11 A항	Sickle Scaler의 특징을 설명할 수 있다.

미니-파이브 큐렛 (Mini-five curet)	• 하방연결부가 gracey curet보다 3 mm 더 길어지고, 날의 길이가 50% 짧아지고 폭이 30% 좁음 • 깊고 좁은 치주낭 내 적용 용이

치세 7-2-15 A항	특수큐렛(AreaSpecific Curette)의 사용법을 설명할 수 있다.

그레이시 큐렛 (Gracey curette)

일반큐렛 vs 그레이시 큐렛

	일반 큐렛	그레이시 큐렛
사용	모든 치면에 사용가능	각 치아 부위별로 특수하게 고안(기구 번호에 따라 사용부위 정해짐)
절단연	2개의 절단연, 양쪽 날 사용	2개의 절단연 중 한쪽 절단연만 사용 가능(기울어진 쪽의 절단연, 손잡이와 먼 하부 절단연 사용)
작업각도	45~90°	60~70°
내면과 이루는 각	날의 내면과 말단 경부가 90°를 이룸	날의 내면과 terminal shank가 60~70° 만나서 기울어짐

치세 7-2-15 A항	특수큐렛(AreaSpecific Curette)의 사용법을 설명할 수 있다.

Contra angle 멸균법	• 매 사용 후 멸균
	• 거즈에 알코올을 묻혀서 핸드피스 전반의 얼룩을 제거
	• 직접 또는 기계를 이용하여 오일링 실시
	• 멸균 시 1회용 소독 봉투에 넣어 132℃에서 15분 동안 고압멸균
	• 공회전을 시킨 후 사용
	TIP! **진료실 내 치과장비 감염관리** • 핸드피스: 진료 후 고속핸드피스와 angle을 분리하여 에틸알코올 거즈로 닦고, 멸균할 수 있는 핸드피스는 멸균 전에 윤활제 주입 후 121℃에서 20분, 132℃에서 15분 멸균 • 공기물 사출기: air tip 안쪽을 청결히 하고 syringe는 소독액으로 닦은 후 멸균 • 머리받침대, 조명등: 부드러운 천이나 거즈에 알코올을 묻혀 가볍게 닦고 건조 후 사용 • 기구용선반(bracket table): 매 사용 후 멸균

치세 5-2-3 A항	Contra Angle 관리법에 대하여 설명할 수 있다.

개인방호법	• 손 세척: 시술 전과 후에 반드시 항균제를 이용한 철저한 손 세척
	• 장갑(glove): 대상자의 혈액과 타액에 존재하는 미생물로부터 시술자 보호
	– 외과수술 시: 멸균 라텍스 장갑 사용
	– 검사 시: 라텍스 장갑 사용
	– 기구세척, 소독, 청소, 임상폐기물 처리 시: 가사용 장갑 사용
	• 마스크(mask): 대상자의 혈액과 타액이 튀어 시술자의 얼굴이 오염되는 것을 보호
	• 보안경, 안면보호대: 대상자의 혈액 또는 타액의 작은 방울이 시술자의 눈에 들어갈 수 있고 질병을 전염시킬 수도 있으므로 턱과 머리를 보호할 수 있는 크기로 양쪽으로 구부려져야함, 눈을 보호하기 위해 보안경을 착용
	• 보호복은 소매와 목이 긴 보호복을 착용
	• 강력 흡입기와 러버댐을 동시에 사용하면 에어로졸과 분사되는 것을 최소화
	• 항균성 양치액으로 진료 전에 환자를 양치하게 함

치세 6-4-4 A항	개인 방호법을 설명할 수 있다.

기구동작	① 동작에 따른 기구동작
	• 당기는 동작(pull stroke)
	• 미는 동작(push stroke): chisel scaler 등
	• 당기고 미는 동작(pull and push stroke): file scaler, explorer 등
	• 걷는 동작(walking motion): periodental probe 등
	② 사용목적에 따른 기구동작
	• 탐지동작(exploratory stroke)
	– 가늘고 섬세한 탐침의 tip 1~2 mm로 탐지하는 동작
	– 기구를 가볍게 잡고 탐지하면 치석의 위치나 치근 표면의 상태를 느낌으로 알 수 있음
	• 작업동작(working stroke)
	– 기구를 힘있게 잡음, 치석을 당길 때만 짧게
	– 작업단 하방 1/3 측면부위에 중등도의 측방압을 적용
	– 중첩된 동작(1 mm)
	– 치아인접면 col 부위에서 terminal shank가 평행한 상태에서 3번 이상 동작
	③ 방향에 따른 기구동작
	• 수직동작: 전치부 순 · 설면, 전치부 인접면, 구치부 인접면
	• 수평동작: 치근활택술이나 초음파치석제거 시
	• 사선동작: 구치부 협 · 설면
	• 원형동작: 치면연마 시

치세 8-2-6 A항	기구동작(Stroke)에 대하여 설명할 수 있다.

치석의 부착형태에 따른 분류	• 단단한 덩어리형 치석: 큰 덩어리의 불규칙한 형태, 주로 치은연상 존재
	• 선반형 치석: 반지 혹은 선반형으로 나타나며, 주로 치은연하 존재
	• 베니어형 치석: 얇은 베니어판 형태, 치석 제거나 치근활택술 후에 남을 수 있으며, 치석 제거 시 작은 작업각도로 인하여 형성, 발견하기 어려움
	• 과립형 치석: 과립형태의 점상으로 나타나며, 치은연상 · 연하에 나타남

치세 2-2-3 A항	치석의 부착 형태에 따른 특징을 설명할 수 있다.

기구적합 (Adaptation)	• 날의 절단연을 치아면에 대는 동작으로, 작동부 날의 하방 1/3을 치면에 적용하는 것
	• 치석제거술이나 치근활택술 시 연조직이나 치근 표면에 외상을 피하고 기구 조작을 최대한 효과적으로 하기 위해 올바른 적합은 매우 중요
	TIP!
	• 기구잡기: 기구를 올바르게 잡는 것
	• 손고정: 기구적용 시 기구를 움직일 때 손을 고정할 수 있도록 지지하는 것
	• 기구삽입: 기구 작업단 하방 1/3 내면이 치면과 0°에 가깝게 하여 치은연하부에 삽입하는 것
	• 기구각도: 치석제거 시 치아면과 기구 작업단의 내면이 이루는 각도

치세 8-2-3 A항	기구적합(Adaptation)에 대하여 설명할 수 있다.

초음파 치석제거 시 장점	• 조직에 상처를 적게 주기 때문에 치유속도가 빠름 • 변형 개발된 가는 직경의 tip은 치근면에 접근성이 좋음 • 정확하고 강한 손고정을 요구하지 않음 • 기포의 분무(공동현상)는 항세균 효과를 기여 • 물분사로 인해 치석잔사나 괴사조직이 세척되므로 시야확보가 좋음 • 시술시간 단축 → 시술자 피로도 감소, 환자의 편안함 증가 • 항균제 투여가능 • 큰 치석과 과도한 침착물 제거에 용이 • 치주낭과 치근면의 치면세균막 파괴와 제거에 효과적 • 음향난류로 항세균 효과를 기여
	TIP! **초음파 치석제거의 단점** • 수기구보다 촉각이 더 촉각이 떨어짐 • 물이 발생되어 치경을 통한 시야확보가 어려움
치세 9-1-3 A항	초음파 치석제거 시 장점을 설명할 수 있다.

페인팅법 (Painting method)	• 치아표면을 3등분 • 적당한 속도와 압력으로 치경부에서 절단 또는 교합면 쪽으로 약간의 압력을 가하면서 쓸어 올리듯이 문지르는 동작
	TIP! 페인트질 하듯이 쓸어 올리면서 연마해서 페인팅(painting)법!
치세 10-2-8 A항	Painting method를 설명할 수 있다.

치면연마제	• 구성성분 　– 연마제(abrasive): 거친 치아 표면을 부드럽고 활택하게 만드는 성분으로 pumice, zirconium 　　silicate, silicon dioxide가 있으며 50~60%를 차지함 　– 습윤제(humectant): 연마제의 성분을 촉촉하게 유지시키는 글리세린, 솔비톨 등으로 　　20~25%를 차지함 　– 물(water): 10~20%를 차지 　– 결합제(binder): 연마제의 성분이 분리되는 것을 막아주며 agar-agar, sodium silicate 등 　　1.5~2%로 구성 　– 감미제, 향료, 불소 등이 포함 • 항상 젖은 상태에서 사용 • 불소가 함유된 연마제를 사용하는 것이 좋음 • 불소도포나 치면열구전색 시 글리세린이 들어 있지 않은 연마제 사용 • 윤활제를 도포하여 열의 발생을 줄임 • 속도를 늦추어 적당한 압력으로 사용
치세 10-2-6 B항	치면연마제의 구성성분을 설명할 수 있다.

기구연마석의 종류	• 자연석 　– 부드러우면서 단단한 자연석은 무딘 정도가 심하지 않거나, 아주 무딘 기구를 거친 연마석 　　으로 윤곽을 형성한 후 완전하게 연마할 때 사용하며, 윤활제로 oil을 사용 　– 대표적인 자연석: Arkansas stone, india stone • 인공석 　– 자연석에 비해 입자가 크고 거칠어서 아주 무딘 기구를 연마할 때나 무딘 기구의 윤곽을 형성 　　할 때 사용하며, 윤활제로는 물을 사용 　– Ruby stone, carborundum stone, diamond stone, ceramic stone 등
치세 11-3-1 A항	기구연마석의 종류를 설명할 수 있다.

기구 연마 시 일반적인 원칙	• 5회 이상 치면세마 후에는 기구연마의 필요성을 확인하고 연마 • 기구 내면과 연마석이 100~110°를 유지하도록 함 • 기구 날의 전체 부위를 1/3씩 나누어 연마(heel, middle, toe 순서로) • 기구 고정법으로 연마 시, 하방동작으로 마무리 • 연마석 고정법으로 연마 시, 당기는 기구는 하방, 미는 기구(chisel)는 상방동작으로 마무리 • 자연석은 윤활제로 oil, 인공석은 물을 사용
치세 11-4-3 A항	기구연마 시 일반적인 원칙을 설명할 수 있다.

임플란트 장착자의 치면세균막 관리	• 치면연마는 심미적으로 필요하지 않다면 정기적으로 행하지 않아도 됨 • 거친 연마제는 표면이 긁힐 수 있으므로 사용 금지 • 임플란트 시술 후 첫 번째 검진: 1주일 안에 실행 • 환자 스스로 치면세균막조절 능력이 생길 때까지 매주 관리 • 임플란트 장착부위 치석제거 시 플라스틱 기구 사용하여 제거
	TIP! **대상자별 치면세마 과정** • 노인환자는 시술시간을 짧게 시행 • 당뇨환자는 식사 후 치위생과정이나 진료를 수행 • 고혈압환자는 스트레스를 받지 않는 편안한 시간으로 약속을 잡음 • 간염환자는 철저한 멸균시스템을 갖춘 진료실에서 초음파치석제거기 사용을 최소화
치세 12-1-3 A	임플란트 장착자의 치면세마 시 고려사항을 설명할 수 있다.

139

양극	• 텅스텐 타겟(초점): 필라멘트에서 방출된 전자의 운동에너지를 X선 광자로 전환(X선 발생) • 구리동체: X선이 발생하는 동안 초점으로부터 열전도를 빠르게 함 • 타겟 물질의 구비 조건: 큰 원자번호, 높은 용융점, 낮은 증기압, 높은 열전도성

방사선 1-2-4 A항 | 양극의 구성과 기능을 설명할 수 있다.

140

전자기방사선	• 전기장과 자기장의 결합상태로 주기적인 진동에 의해 에너지가 공간을 이동하는 것 • 입자나 질량을 갖지 않는 순수한 에너지 • 종류(단파장 순서대로): 우주선, 감마선, X선, 자외선, 가시광선, 적외선, 원적외선, 마이크로파, 열선, 전파 • 입자와 파동의 양상으로 진행

방사선 1-1-3 A항 | 전자기 방사선을 설명할 수 있다.

141

환자의 방사선 방호	• 고감광도 필름 사용 • 재촬영 감소를 위해 술자의 기술 향상 • 디지털 구내방사선 영상은 환자의 방사선노출량을 40~60% 정도 감소 • 파노라마 방사선사진이나 두부규격방사선사진 촬영 시 희토류 증감지 이용 • 초점필름 간 거리 증가: 장조사통 사용 → 반음영 감소, X선에 노출되는 조직의 체적이 약 32% 정도 감소 • 정확한 시준기 사용: 방사선의 크기를 제한(환자의 피부 표면에서 직경 7 cm를 넘지 않도록) • 부과여과기(알루미늄판) 사용 • 납이 내장된 원통형 조사통: 산란방사선을 감소 • 납 방어복과 갑상선 보호대 착용

방사선 2-2-6 A항 | 환자의 방사선 방호에 대해 설명할 수 있다.

142

시준기	• X선속의 모양과 크기 조절(방사선 피폭량 감소) → 산란선 감소 → 방사선영상의 질 향상 • 재질: 납(2.75인치) • X선속의 직경을 환자의 피부표면에서 7 cm 이내가 되도록 조절

방사선 1-2-8 A항 | 시준기에 대해 설명할 수 있다.

143

| 관전류 조절기 | • 텅스텐 필라멘트의 온도를 조절하여 전자의 수 조절 → X선의 양 결정 |
| | • 관전류 증가 시 타겟에 충돌하는 전자수 증가 |

방사선 1-2-10 A항 | 제어판의 구성과 기능을 설명할 수 있다.

144

선예도에 영향을 주는 요인	• 반음영 감소 → 선예도 증가
	– 초점크기 작게 함
	– 필름과 피사체 사이의 거리 감소
	– 초점과 피사체 사이의 거리 증가
	• 움직임에 의한 불선예도
	– 환자, 필름, 관구가 움직임
	– 노출시간을 짧게 하여 움직임에 의한 불선예도를 감소
	• 상수용기에 의한 불선예도
	– 양면에 감광유제를 도포한 필름을 사용한 경우 양쪽 감광유제에 맺히는 상에 차이 발생
	– 증감지를 사용 → 증감지와 필름을 가능한 밀착할 것
	– 필름의 할로겐화은 결정의 크기가 작을수록 상의 선예도 증가

방사선 3-2-6 A항 | 선예도에 영향을 주는 요인을 설명할 수 있다.

145

하악의 방사선 불투과성 구조물

분류		방사선 투과성	방사선 불투과성
상악	절치부	절치공, 정중구개봉합, 비와, 영양관	비중격, 전비극
	견치부	상악동	역Y자
	소구치부	상악동	관골 전방부위
	대구치부	상악동의 후방 경계	관골돌기, 관골궁, 상악결절, 구상돌기, 하악의 근돌기
하악	절치부	설공, 영양관	이극, 하악의 하연, 이융선
	견치부	–	이융선
	소구치부	이공	하악의 하연
	대구치부	하악관, 영양관	하악의 하연, 외사선, 내사선, 악설골융선

방사선 5-1-6 A항 | 하악의 방사선 불투과성 구조물을 구강영상에서 식별할 수 있다.

146

치조백선	• 얇은 피질골로 이루어진 치조백선은 치조정의 피질골과 연속되어 있음
	• 방사선 불투과성이면서 치근을 둘러싸는 흰 선으로 나타남
	• 교합력이 과도하면 치조백선의 두께는 넓고 치밀, 나이 증가에 따라 두께는 얇아짐
	• 치근단 병소가 있을 경우 불연속성

방사선 5-1-2 A항 | 치아 지지구조를 구강영상에서 식별할 수 있다.

파노라마촬영 과정	• 장비준비 　– 촬영조건 설정하고 환자의 키에 맞게 미리 높이를 설정 • 환자준비 　– 촬영과정을 미리 설명함 　– 갑상선 보호대가 없는 납 방어복을 환자의 목 아래 위치하도록 촬영 　– 안경, 귀걸이, 목걸이, 보청기, 머리핀, 가철성 보철물 등을 제거 • 환자자세 　– 촬영기의 손잡이를 잡게 하고, 등을 똑바로 편 자세가 되도록 함 　– 교합제에 있는 홈을 상·하악 전치로 물게 함 　– 촬영 중 전치부가 절단교합상태 　– 환자의 정중시상면이 바닥과 수직 　– 외이공 상연안와하연을 이은 프랑크포트선이 바닥과 평행 　– 상·하악 절치가 상층 내 위치하도록 지시 등에 일치시킴 　– 환자에게 침을 삼키고 혀를 입천장에 위치하도록 지시 　– 교합제 주위의 입술은 다물도록 함 　– 노출되는 동안 움직이지 않도록 함
방사선 4-8-3 A항	파노라마촬영과정을 설명할 수 있다.

등각촬영법의 장·단점	• 장점 　– 평행촬영법으로 촬영이 어려운 해부학적 장애물이 있는 환자에서 적용 가능(낮은 구개, 　　예민한 전방 구강저 부위, 골융기) 　– 단조사통을 사용하여 노출시간을 줄임 • 단점 　– 치아의 치관부와 치근부에서 필름 사이거리가 다르기 때문에 상의 왜곡 발생 　– 수직각을 정확하게 맞추기가 어려워 상의 연장이나 단축이 일어날 수 있음 　– 손가락으로 필름을 유지하면 환자의 손가락이 일차방사선에 불필요하게 노출(불필요한 피폭) 　– 상악 관골돌기가 낮거나 돌출된 환자는 관골돌기가 상악 구치부 치근단과 중첩되는 경우가 　　많아 치근단 평가가 어려운 경우가 많음
방사선 4-3-5 A항	등각촬영법의 장점을 설명할 수 있다.

교익촬영의 목적	• 초기 인접면 치아우식증 및 재발성 치아우식증 검사 • 초기 치주질환의 치조정 변화 검사 • 상·하악 치아의 교합관계 검사 • 치수강의 검사 • 치아우식증의 치수 접근도 검사 • 충전물의 적합도 검사
방사선 4-4-1 A항	교익촬영의 목적을 설명할 수 있다.

전악구내촬영법과 파노라마촬영의 비교	• 촬영시간 및 현상시간은 전악구내촬영법이 더 소요됨 • 파노라마촬영법은 악골 골절, 개구장애 등 구내촬영이 어려운 경우 가능 • 전악구내촬영법은 움직임을 스스로 통제하지 못하거나 대화 소통이 어려운 소아 환자 등의 경우는 구내촬영이 유리 • 방사선노출량은 파노라마촬영법이 적음 • 파노라마촬영법은 해상도가 낮기 때문에 관찰이 어려운 부위를 자세히 관찰하기 위해서는 추가적으로 구내촬영법 시행 • 파노라마촬영법은 비교적 표준화된 영상을 얻을 수 있고, 촬영 술식이 간단하여 집단검사에 유용
방사선 4-8-7 A항	전악구내촬영과 파노라마촬영을 비교할 수 있다.

무치악 환자의 촬영법	• **무치악 환자의 촬영목적**
	   – 잔존치근, 매복치나 병소(낭, 종양)의 유무 확인
	   – 골 내에 묻혀 있는 이물질 확인
	   – 치조정과 비교하여 정상 해부학적 구조의 위치 판단
	   – 현재 남아 있는 골의 양과 질의 평가
	 • **평행촬영법**
	   – 필름유지기구 고정 시 상실치아의 위치에 솜 또는 거즈를 물도록 함
	   – 치조능 흡수가 심한 경우는 등각촬영법을 권장
	 • **등각촬영법**
	   – 필름의 위치는 잔존 치조능 위로 필름의 1/3이 나오도록 위치
	   – 유치열보다 더 수평으로 필름 위치: 수직각도 증가
	   – 수평각도는 치아가 없기 때문에 문제되지 않음
	   – 노출시간: 유치악에 비해 약 25% 정도 감소시켜서 촬영
	 • **파노라마 촬영**
	   – 악골 내 잔존치근, 매복치, 이물질 등이 관찰되면 치근단 사진 추가 촬영
	 • **교합촬영**
	   – 치근단 치아에 추가로 촬영 가능
	   – 교익촬영은 필요없음
	   – 무치악 환자를 검사하는 가장 일반적인 방법

방사선 4-10-5 A항	무치악 환자의 촬영법에 대해 설명할 수 있다.

Clark 법칙 (Clark's rule)	• Clark에 의해 고안 • 관구의 수평각을 달리한 2장의 사진을 비교하여 위치를 파악하는 방법 • 협 · 설측 위치파악 • SLOB 법칙 적용
방사선 4-6-3 A항	관구이동법에 대해 설명할 수 있다.

153

디지털 촬영의 장점	• 높은 해상도 • 노출량 감소: E군 필름에 비해 50~80% 감소 • 빠른 영상조회 • 장비와 필름에 대한 경비절감 • 효율성 증대 • 효율적인 환자교육용 도구
방사선 4-11-3 A항	디지털촬영의 장점을 설명할 수 있다.

154

조사통 가림 상	• 조사통이 필름유지기구나 필름과의 위치관계가 부적절할 때 발생 • X선이 필름의 중앙으로 향하지 않아서 필름의 일부분만이 노출되었을 때 생기는 결함 • 개선: 중심선이 필름의 중앙에 위치하는지 확인
방사선 4-7-4 A항	조사통가림 상을 설명할 수 있다.

155

조사각도에 따른 오류	• 부정확한 수평각(인접면 중첩) 　– 중심선이 인접면에 평행하게 조사되지 않으면 치아의 인접면이 중첩 → 인접면 우식 확인 불가능 　– 개선: 치아의 인접면에 평행하게 조사 • 부정확한 수직각 　– 단축상: 수직각이 과한 경우 → 수직각을 감소시킴 　– 연장상: 수직각이 부족한 경우 → 수직각을 증가시킴
방사선 4-7-3 A항	조사각도에 따른 오류를 설명할 수 있다.

156

세포의 방사선 감수성	• 세포분열이 활발할수록 감수성이 높다. • 세포분열이 긴 세포일수록 감수성이 높다. • 조직의 재생능력이 클수록 감수성이 높다. • 형태적, 기능적으로 미분화된 세포일수록 감수성이 높다. • 대사작용이 높은 세포일수록 감수성이 높다. • 산소분압이 높을수록 감수성이 높다. • 온도가 높을수록 감수성이 높다. • 림프구, 난모세포는 예외적으로 고도로 분화되어 있으며 분열되지 않았음에도 방사선 감수성이 높다.
방사선 2-1-4 A항	세포의 방사선 감수성을 설명할 수 있다.

157

치근단 농양의 방사선 소견	• 치수괴사의 결과로 치근단 주위에 농이 국소적으로 집약
	 • 방사선 소견
	   – 치주인대강의 확장(비후) 관찰
	   – 경계가 불명확한 방사선 투과성 병소가 관찰
	   – 치조백선 소실(연속성이 끊어짐)

방사선 6-1-6 A항	치근단병소의 구강영상에 대해 설명할 수 있다.

158

치아우식병의 구강영상	• 인접면 우식: 절흔모양의 방사선 투과상으로 우식이 치아의 법랑질 내면쪽으로 진행하면서 삼각형을 이룸 • 교합면 우식: 초기 교합면 우식은 방사선영상에서 볼 수 없음 • 협면과 설면 우식: 정상치아 구조물과 중첩되어 나타나므로 식별하기가 어렵고 임상적으로 가장 잘 관찰 • 치근면 우식: 백악–법랑 경계(CEJ) 직하방에서 화산모양의 방사선 투과상으로 나타남 • 재발성 우식: 수복물 직하방에서 방사선 투과성으로 나타남 • 광범위 우식(다발성 우식): 다수 치아에 이환되어 진행된 심한 우식 • 방사선 우식: 치경부에서 시작되어 주위로 확산
방사선 6-1-3 A항	치아우식병의 구강영상에 대해 설명할 수 있다.

🔍 구강악안면외과학(6문항)

159

발치겸자	• 목적: 치조골로부터 치아 제거
	 • 구성: 핸들, 경첩, 손잡이로 이루어짐
	 • 상악 발치겸자
	   : 1번(상악 전치부), 150번(상악 소구치), 53L, 53R(상악 구치부 좌 · 우 구분), 10S(좌 · 우 상악 대구치 모두 사용), 210S(단근치인 상악 제3대구치)
	 • 하악 발치겸자
	   – Mead 1번, 151번: 하악 단근치(151번은 유치도 사용)
	   – 16번(소뿔모양), 17번: 하악 구치부
	   – 222번: 하악 제3대구치

	TIP! **발치기자(Elevator)** 발치겸자를 사용하기 전 치아를 느슨하게 하여 발치를 용이하게 할 때 사용
외과 3-3-6 A항	발치 시 필요한 기구를 준비할 수 있다.

발치술의 적응증	• 심한 치아우식증
	• 치료가 곤란한 급성 및 만성 치주염에 포함된 치아
	• 치아파절이나 치조골의 외상으로 치료가 불가능한 치아
	• 치수가 병적상태에 있으며 근관치료 및 치근단절제술 등으로 보존이 불가능한 치아
	• 매복치나 과잉치
	• 보철이나 교정치료 시 장애가 되는 치아
	• 심미장애 치아
	• 낭종, 골수염, 종양 및 골괴사의 원인 치아
	• 방사선 조사를 받을 영역의 보존이 불가능한 치아
	• 치성염증의 원인 치아
	• 만기잔존 유치
	• 치아 이식을 위한 발치대상

외과 6-1-1 A항	발치술의 적응증과 금기증을 비교 설명할 수 있다.

발치 중 합병증	• 치아의 파절
	• 악관절 외상
	• 인접치아의 손상
	• 상악동 내로의 치아전위
	• 치조골 및 상악결절 파절
	• 악하간극으로의 치아전위
	• 상악동 천공
	• 피하기종
	• 하치조신경의 손상
	• 실신
	• 출혈
	• 엉뚱한 치아의 발치
	• 치은 및 점막의 열상

외과 6-1-2 A항	발치의 합병증을 대해 설명할 수 있다.

열상	• 외력에 의해 조직이 찢어진 상태
	• 신속하게 조기 1차봉합을 하는 것을 원칙으로 하며 가능한 24시간 이내 또는 6시간 내에 처치하는 것이 바람직
	• 함몰된 조직은 적절하게 변연을 절제해내고 조직편을 봉합할 때 사강을 남기지 않도록 함
	• 창상이 광범위하거나 창상변연부가 심하게 괴사되었을 때 교상 등의 경우에는 조기 1차봉합을 시행하지 않고 창상의 배농과 계속적인 습식 드레싱 후 5~10일 이내에 지연 1차봉합을 시행

외과 7-3-3 A항	연조직 손상의 치료방법을 설명할 수 있다.

하악골 골절	• 단순골절
	  – 하악 무치악 상태에서 많이 발생
	  – 외부와 연결되지 않은 하나의 골절선
	• **복합골절**
	  – <u>피부나 점막을 통하여 외부에 개방된 골절</u>
	  – 안면 중 중앙부에 골절이 야기되어 여러 개의 악안면골이 포함된 중증의 골절
	• 불완전골절
	  – 완전골절을 시키기에는 외력이 부족하거나 유기질이 많은 어린이의 악골에 자주 발생
	  – 골의 한쪽은 부러지고, 다른 한쪽은 구부러져 있는 불완전 상태의 골절 형태
	• 분쇄골절
	  – 절편이 아주 잘게 부서져 여러 조각의 골편이 형성되는 골절
	  – 단순골절이나 때로는 복합골절이 될 수 있음
	• 복잡골절
	  – 혈관, 신경, 관절 등의 주위 인접 구조물에 손상을 주는 골절

외과 7-2-2 A항	악골 골절의 분류법을 설명할 수 있다.

골융기 제거 순서	수술부위의 소독 → 국소마취 → <u>점막의 절개</u> → <u>피판 형성</u> → 골삭제 → 세정에 의한 골 삭제편의 제거 → 봉합
외과 8-3-2 A항	치조골 정형 및 골융기제거술의 순서를 나열할 수 있다.

🔍 치과보철학(6문항)

고정성 보철물	• 금관: 치아우식증 또는 치관파절로 인하여 치질의 결손이 큰 경우 해부학적 치관을 전부 덮어서 원래의 형태와 기능을 하게 하는 보철물
	• 심미보철: 변색된 치아, 치간이개, 치아 배열이 불규칙한 치아 등으로 인해 심미적이지 않는 경우 자연치아와 색조 및 투명감이 유사한 도재를 이용하여 수복해주는 보철물
	• **가공의치(Bridge)**
	  – <u>한 개 이상의 치아가 상실된 경우 상실치 양쪽의 건강한 치아에 금관을 제작하고 인공치를 연속형으로 연결한 보철물</u>
	  – 2개 이상의 지대장치와 1개 이상의 가공치를 갖고 이를 연결하는 연결부로 구성

보철 1-1-8 B항	치과보철물의 종류별 적응증을 설명할 수 있다.

166

치아상실 후 안모가 변화하는 기전	• 상 · 하악 치아에서 다수치가 상실되면 입술, 뺨이 움푹 들어감 • 교합지지를 상실: 수직고경의 감소, 주름이 심해지고 더욱 안모가 변함
보철 2-3-3 A항	치아상실 후 안모 변화를 설명할 수 있다.

167

스피만곡	• 하악 치열을 측방에서 볼 때 하악의 소구치 및 대구치의 협측교두정을 연결한 가상의 선 • 하악치열을 협측에서 관찰하면 교합면과 절단연이 만곡을 이룸 • 안와 내 누골 상연 부근에 중심을 둔 원호를 이룸
보철 2-1-4 A항	만곡의 종류별 특징을 설명할 수 있다.

168

전부금속관의 장점	• 치아 피개면이 넓으므로 탈락에 저항하는 힘(유지력)이 좋음 • 치아형태의 재현성 우수 • 교합면을 완전히 수복하므로 교합의 회복 우수 • 시술과정이나 기공과정이 다른 보철물에 비해 쉽고 간단함 • 치경부의 적합도 우수 • 도재관보다 적은 치질 삭제량
보철 3-1-5 A항	전부금속관의 장점을 설명할 수 있다.

169

납의치 시험적합	• 납의치(wax denture): 교합기에 장착된 작업모형상에서 교합제에 인공치아를 배열하고 paraffin wax로 치은부를 형성한 것 • 구강 내 장착 후 안모와 연조직의 운동, 전치부 인공치아의 심미성, 교합상태, 치은의 형태 및 발음 점검
보철 5-3-11 A항	납의치 시험적합에 대해 설명할 수 있다.

170

레스트(Rest)	• 국소의치의 수직적 지지를 부여하여 의치의 침하를 방지 • 교합압을 지대치의 장축방향으로 전달하여 의치를 제위치에 유지 • 치아표면의 위치에 따라 교합면 레스트, 설면 레스트, 절단면 레스트 구분
보철 4-2-1 A항	국소의치 구성요소를 설명할 수 있다.

171

수복재료의 요구조건	• 와동벽에 완전히 적합할 수 있어야 함 • 구강의 타액에 의해 용해되지 않아야 함 • 형태나 체적이 변하지 말아야 함 • 적절한 강도 및 경도를 지녀 저작압에 견딜 수 있어야 함 • 마모도, 강도, 경도 및 열팽창계수가 치질과 유사해야 함 • 색조가 안정되고 조화를 이루어야 함 • 경조직 및 연조직에 무해하여야 함 • 열전도성이 낮아야 함 • 변색 및 부식에 저항할 수 있어야 함 • 열 및 전기에 불량도체이어야 함 • 화학적 안정성이 있어야 함 • 심미성이 있어야 함 • 취급이 용이하고 표면이 매끄럽게 연마 가능

보존 1-1-4 A항   수복재료의 요구조건을 열거할 수 있다.

172

G.V. Black 분류법	• 1급 와동: 모든 치아, 구치부의 교합면 와동과 전치부 설측에 형성한 와동 • 2급 와동: 구치부의 인접면 와동 • 3급 와동: 전치부의 인접면 와동(절단연 포함하지 않음) • 4급 와동: 전치부의 인접면 와동(절단연 포함) • 5급 와동: 모든 치아의 순면이나 설면에서 치은1/3에 위치한 와동 • 6급 와동: 전치부의 절단연이나 구치부의 교두부위에 형성된 와동

보존 3-1-6 A항   와동을 분류할 수 있다.

173

이장재	• 용액 이장재(와동 바니쉬)
	  – 상아세관의 입구를 폐쇄, 와동과 수복물 사이의 계면을 밀폐함으로써 화학적 보호의 역할
	  – 변연미세누출 감소
	• 현탁액 이장재(수산화칼슘 이장재)
	  – 화학적 자극을 차단하는 것이 주된 목적(열 차단은 안 됨)
	  – 치수에 대한 약리효과로 삼차 상아질의 형성 유도
	  – 우식병소의 소독효과

보존 5-1-1 A항   이장재의 사용목적을 설명할 수 있다.

급성치수염	• 자극이 제거된 후에도 통증이 지속(후기엔 자극이 없어도 동통)
	• 통증이 간헐적 · 발작적으로 나타나는 급성 염증을 수반하는 것(점차 지속적으로 진행)
	• 원인: 치수질환의 원인으로 언급된 모든 요인이 될 수 있음
	• 증상: 대개 심한 통증이 나타나며 자세의 변화에 의해 통증이 유발되기도 함
	• 치료: 발수하여 근관치료
	• 치근단 치주조직까지 확산 → 급성 치근단치주염

보존 10-1-4 A항	급성 치수염을 설명할 수 있다.

근관치료의 기본원칙	• 무균적 처치
	• 근관 내의 잔사제거
	• 배농
	• 주의해서 다루기
	• 동통조절
	• 치수조직의 완전제거
	• 근관의 확대 및 세척
	• 근관의 무균적 상태유지
	• 근관충전을 완전하게 하여 재감염 방지

보존 11-1-8 A항	근관치료의 기본원칙을 열거할 수 있다.

치아변색의 원인	① 국소적 요인
	• 외인성 변색
	– 치면세균막의 침착
	– 치아표면 착색(커피, 차, 색소가 많이 함유된 기호식품, 담배의 니코틴)
	• 내인성 착색
	– 치수 괴사: 회갈색, 검정색의 변색(실활치 미백술 적용)
	– 치수 출혈: 치아 외상 후 출혈 발생(실활치 미백술 적용)
	– 상아질 과석회화: 황색 또는 황갈색
	– 근관 약재: 비타펙스 등이 치관을 변색
	– 충전재: 거터퍼쳐(분홍색), 근관실러(치관 변색 유발)
	– 수복물(아말감): 치관변색
	② 전신적 요인
	• 노화: 연령증가에 따라 황색으로 변함
	• 발육성 변색
	– 불소 침착증: 치아 형성기에 과량의 불소 섭취
	– 테트라사이클린
	– 태아적아세포증
	– 선천성 포르피린증
	– 법랑질 · 상아질형성 부전증

보존 14-1-1 A항	치아변색의 원인을 열거할 수 있다.

177

혼합치열기
(학동기)의
구강조직 특징
	• 제1대구치 · 영구 전치 맹출기(혼합치열기 전기)
	   – 제1대구치 맹출로 이소맹출(ectopic eruption)이 나타남
	   – 미운오리새끼 시기와 다양한 원인으로 치열 및 교합이상 나타남
	   – 제1대구치 교합면 우식이 다발함
	   – 활동이 활발해져 외상이 호발함
	• 측방치군 교환기(혼합치열기 후기)
	   – 유견치, 제1 · 2유구치가 각각의 후속 영구치와 교환되는 시기
	   – 유구치 우식과 견치 순측 전위, 소구치 전위, 매복 등으로 영구치열 부정교합이 많이 나타남
	   – 영구 전치, 제1대구치 인접면 우식과 치은염 발생 쉬움

소치 1-1-4 A항	치열발육기에 따른 구강조직의 특징을 설명할 수 있다.

178

미성숙 영구치의 형태학적 특징	• 전치부: 절연결절이 명확하게 드러남 • 구치부: 교두정이 명확하게 나타남 • 부가융선 및 소와, 열구가 명확하게 나타남 • 치수강이 크며, 치수각이 돌출: 성숙 영구치보다 치수노출 위험이 큼 • 치근이 짧고 근단부위에서는 근관이 넓게 열려 있음
소치 2-1-8 A항	미성숙 영구치의 형태학적 특징을 설명할 수 있다.

179

체계적 탈감작법	• 행동조절 과정 • 문제가 되는 불안, 공포의 자극을 약한 것에서 점차 강한 자극으로 단계적으로 반복하여 불안과 공포를 극복시키고자 하는 것
소치 4-4-3 A항	체계적 탈감작법을 설명할 수 있다.

180

직접치수복조술	외상, 와동형성 중 우발적으로 생긴 작은 크기의 치수노출, 우식 진행에 의한 치수노출 및 주위에 건전한 상아질이 있을 경우 사용하는 치수의 생활력과 기능을 유지시키는 술식
소치 5-5-3 A항	치수복조술의 종류를 설명할 수 있다.

유치 발치 시 주의사항	· 반드시 보호자의 동의를 얻음 · 어린이가 국소마취 후 접하게 될 감각과 경험을 설명 · 발치기자보다 발치겸자를 사용하여 발거하는 것이 편리 · 치아 탈구 시 과도한 압박이 있어서는 안 됨 · 발치 전에 방사선사진의 확인이 필요 · 발치와의 기저부는 병소가 없는 한 반드시 소파할 필요는 없음 · 창상에 30분 이상 거즈를 물고 있게 함 · 발치 후 첫날은 유동식을 함 · 발치 후 무의식중에 입술이나 협점막을 씹을 경우 외상성 궤양이 나타날 수 있으므로 주의 깊게 관찰 · 발치 후 최소한 하루에 4~5회씩 미지근한 식염수로 양치
소치 6-1-7 A항	유치 발치 시 주의사항을 설명할 수 있다.

Crown & Loop 적응증	· 지대치의 광범위한 치아우식증 · 치수치료를 시행한 치아 · 법랑질 형성부전 치아 · 구강위생 상태가 나쁜 경우
소치 7-2-5 A항	공간유지장치의 종류별 특징을 설명할 수 있다.

🔍 치주학(6문항)

치조정(ACF) 섬유군	· 백악법랑경계 직하 부위의 백악질에서 치조정까지 비스듬히 주행 · 치주인대 섬유 중 가장 적음(염증 시 가장 먼저 사라짐) · 치아가 측방운동에 저항하여 치아를 치조와 내에 지탱, 치주인대를 보호
치주 1-2-3 A항	치주인대 주섬유의 기능을 설명할 수 있다.

치아동요의 원인	· 치조골 소실 · 교합성 외상(by 과도한 교합압, 이갈이) · 급성 치근단 농양(치은이나 치근단 염증 → 치주인대로 확산) · 임신이나 월경과 호르몬성 피임약을 사용한 경우 · 골수염과 악골 내 종양이 있는 경우
치주 3-4-2 A항	치아동요의 원인을 설명할 수 있다.

급성 포진성 치은구내염	• 원인 　– Herpes simplex virus에 의한 원발성 감염 　– 과로나 정신적 압박과 열병에 의해 주로 발생(2차 세균감염 발생) 　– 주로 영유아의 구강점막에 가장 흔히 나타나는 급성 바이러스 감염 　– 열성질환의 회복기, 불안, 근심, 극도의 피로와 월경 동안에 빈발 • 임상 증상 　– 치은과 구강점막: 발적, 치은출혈과 부종 　– 수포형성 → 24시간 후 수포파열 → 통증이 심한 미란과 궤양을 형성 　– 열, 불안, 작열감과 같은 전구증상을 동반 　– 1~ 주 이내에 자연 치유
치주 4-2-3 A항	급성 포진성 치은구내염의 특징을 설명할 수 있다.

국소유년형 치주염 (국소급진형 치주염) 특징	• 사춘기 전후, 남자 < 여자 • 치주조직이 급속히 파괴되는 염증성 치주질환 • 가족력 있음 • 주로 절치와 제2대구치에 국한됨 • 치조골이 심하게 파괴됨 • 치조골 파괴가 제1대구치와 절치에 국한: 양측성, 방사선사진 수직적 골파괴(치아동요 진행) • 치은조직은 거의 정상(초기: 염증 없음) • 호발연령: 사춘기~25세 • 전신질환(전반적인 형태): 당뇨병, papillonlefevre 증후군, 중성구감소증, 다운증후군, 저인산효소증, 영양장애 • 치료: 항생제(tetracyclin 계통)를 복용하면서 scaling 및 root planing 등을 통한 물리적 치료
치주 4-2-3 A항	국소유년형 치주염(국소급진형 치주염)의 특징을 설명할 수 있다.

이개부 개조술	• 치근절제술(root amputation): 근관치료 후 치관을 남기고 잔존치근 중 하나만 제거하는 술식 • 치아절제술(hemisection): 치관부를 포함하여 1개 또는 2개의 치근을 잘라내는 술식 • 치근분리술(root separation): 하나의 대구치를 2개로 나누어 2개의 소구치 모양으로 회복시키는 술식 • 터널화, 터널형성술(tunneling): 협·설측 이개부를 외과적으로 관통시켜 구강위생을 용이하게 하는 술식 　– 이개부가 넓고, 짧은 root trunk를 가진 경우 　– 치간칫솔이 들어갈 수 있도록 공간 부여 　– 부착치은의 양을 고려 　– 공간을 내기 어려운 경우 치근분리를 고려
치주 5-3-12 A항	치근이개부 병변의 치료법을 분류할 수 있다.

188

비변위판막술 기본술식 순서	① 마취 및 절개(surgical blade) ② 치주판막 거상(periodontal elevator) ③ 불량 육아조직 제거(surgical curette) ④ 치근활택술과 치근면처치(scaler) ⑤ 필요한 경우 치조골 처치 및 골이식재 식립(bone file, bur) ⑥ 판막을 위치시킨 후 봉합(suture silk, needle, needle holder) ⑦ 압박지혈 및 치주포대를 부착(periodontal pack)
치주 5-3-8 A항	비변위판막술의 기본술식을 설명할 수 있다.

🔍 치과교정학(6문항)

189

성장발육곡선의 신경형 (Neural type)	• 뇌, 척수, 시각기, 두개골 등 • 비교적 조기에 성장, 6~8세경에 성인의 90% 정도 성장
	Tip! • S자 곡선 형태를 보인다 - 일반형(상악골과 하악골) • 하악골의 성장과 관계가 있다 - 일반형 • 아데노이드와 편도의 성장과 관계가 있다 - 림프형
교정 2-1-3 A항	교정학과 관계가 깊은 장기에 따른 성장발육곡선을 설명할 수 있다.

190

구강악습관 개선을 위한 장치	• 텅 크립(tongue crib) 장치: 손가락 빨기와 혀내밀기로 인한 개방교합의 개선을 위한 장치 • 립 범퍼(lip bumper): 입술빨기와 입술깨물기의 습관개선에 도움을 주는 장치 • oral screen, activator: 구호흡의 치료에 이용 • occlusal bite guard: 이갈이와 이악물기 습관 치료에 이용
교정 4-1-1 A항	구강악습관의 종류와 치료방법을 열거할 수 있다.

191

기능적 교정장치	안면근, 저작근의 힘 이용 • 액티베이터(activator) • 바이오네이터(bionator) • 프랑켈 장치(Frankel appliance) • 트윈블록장치(twin block appliance) • 립 범퍼(lip bumper)
교정 5-1-2 A항	교정력의 종류를 열거할 수 있다.

192

치간이개 (separation) 방법	• 고무 치간이개장치(elastic separator) • 황동선(brass wire) • TP 스프링: 교정용 밴드를 장착하기 전에 인접면 공간 확보를 위해 사용하는 재료
교정 11-7-2 A항	치간이개의 방법을 설명할 수 있다.

193

Circumferential 보정장치	• Hawley 보정장치의 순측호선이 견치와 소구치 사이를 지나는 부위에서 교합 시에 씹히는 것을 피하기 위해 사용 • 소구치와 대구치의 협측이 와이어에 접촉하므로 치아의 협측 변위를 막아 줄 수 있음 • 제작이 어려우며 유지력을 얻기가 쉽지 않은 단점이 있음
	Tip! **기타 보정장치의 특징** • 바이오네이터(bionator): 기능성 교정장치 • 투명 보정장치(clear retainer): 전치부 와이어가 투명한 플라스틱으로 제작 • 치아 포지셔너(tooth positioner): 상하치열의 관계보정에 사용 • 서컴퍼렌셜 보정장치(circumferential retainer) • 견치간고정식 보정장치(fixed lingual retainer): 환자의 협조도가 떨어지는 경우에 효과적인 고정식 유지장치
교정 9-1-3 A항	보정장치의 종류를 설명할 수 있다.

194

브라켓 접착과정	① 치면세마: 부식을 위해 치아 표면을 청결히 하는 과정 ② 격리 및 건조 ③ 부식: 37%~50% 산을 이용하여 치아 표면 처리 • 영구치 40초~1분 • 산부식제를 문지르지 않고 접착할 부위에만 톡톡 두드리듯 적용 ④ 수세: 부식 후 먼저 흡입기로 부식제를 대부분 흡입한 후 나머지는 물로 충분히 씻어냄 ⑤ 건조: 교정용 본딩제(primer)를 바르기 전에 치면이 건조되어야 함 ⑥ 교정용 본딩제(primer) 바르기 ⑦ 브라켓을 치아에 위치시킴 ⑧ 과다한 레진 제거 ⑨ 광중합
교정 8-3-4 A항	Bracket 직접접착의 과정에 대해 설명할 수 있다.

195

광중합형 복합레진	① 장점 • 색상이 아주 만족스러우며 자체접착력이 있어 잘 떨어지지 않음 • 혼합이 필요하지 않아 기포 발생이 적으므로 착색이 덜 됨 • 강도가 높음 • 한 개의 연고로 공급되어 사용하기 편리(혼합과정이 필요 없음) • 작업시간 조절 가능(임의로 설정할 수 있음) • 경화시간 단축 ② 단점 • 중합깊이의 한계(2.5 mm 이하) • 구치부 인접면 광선 도달이 어려워 광중합이 불충분할 수 있음 • 레진 색조의 차이에 따라 광조사 시간 조절(20~40초) • 실내 조명에 민감, 뚜껑이 열린 상태로 방치 시 얇은 막 생기거나 표면이 단단해짐 • 광원으로부터 눈을 보호하는 장비를 사용하여 눈을 보호하여야 함 • 중합수축에 의한 미세누출이 잦은 재료로 시술자의 능력이 필요한 재료 • 술후 과민증
재료 4-1-7 A항	광중합형 복합레진의 장점을 설명할 수 있다.

196

알지네이트
인상재의
경화시간 조절법
	• 물의 온도로 조절(6초/1℃)
	  – 낮은 온도: 경화시간 지연
	  – 높은 온도: 경화시간 촉진
	• 18~24℃의 물 사용 권장
	• 주의사항: 분말의 양과 혼합시간을 이용한 경화시간 조절은 물리적 기계적 성질의 변화를 초래하므로 지양

재료 8-3-4 A항	알지네이트 인상재의 경화시간 조절법을 설명할 수 있다.

197

글래스아이오노머 특성	• 불소유리로 항우식효과 • 치질에 화학적 결합 • 생체친화성 • 초기용해도가 높으며 24시간이 지나야 완전히 경화됨 → 바니쉬 도포 • 치질과 유사한 탄성계수 및 열팽창계수 • 높은 불투명도 • 접착재, 수복재, 치면열구전색재, 베이스 등에 사용
재료 7-4-3 A항	글래스아이오노머 시멘트의 특성을 설명할 수 있다.

알지네이트 인상채득 시 주의사항	• 물과 분말의 혼합비율을 정확히 맞추어 사용
	• 알지네이트만 사용할 수 있는 별도의 혼합 고무용기와 스파튤라를 준비
	• 환자의 악궁에 맞는 적당한 크기와 모양의 트레이를 선택
	• 혼합 시 물을 먼저 넣고 인상재를 넣어 혼합(분진과 기포발생을 예방)
	• 혼합시간을 정확히 준수
	• 경화 후 3~4분 경과 후 최대강도에 도달 시 빼냄
	• 트레이와 치아 사이의 알지네이트 인상재가 충분한 두께를 유지하도록 함
	• 좌우로 흔들지 말고 순간적으로 빼내야 함(압축력 받는 시간 최소화)
	• 압축받은 부위가 회복되기를 기다린 후 석고 주입(10분 이내에 석고 주입)
	• 치아장축에 평행하게 단번에 빠른 속도로 빼냄
	• 구토반사 대응책
	   – 하악부터 인상을 채득
	   – Unit chair: 수직자세(upright position)
	   – Tray를 뒤쪽에서 앞쪽으로 구강 내에 위치
	   – 인상재를 tray에 지나치게 많이 담지 않음

재료 8-3-6 A항	알지네이트 인상채득 시 주의할 점을 설명할 수 있다.

폴리이써 고무인 상재의 특성	• 중합수축이 적음 • 영구변형 매우 낮음 • 친수성이므로 지대치에 어느 정도 수분 있어도 정밀 인상채득 가능, 석고주입 용이 • 물속에 보관하면 팽윤 • 연조직에 접촉할 때 피부자극을 유발할 수 있음 • 환자에 따라 약간 쓴맛이 있거나 알러지가 있는 환자에게 사용해서는 안 됨 • 반응부산물이 없음 • 상당히 뻣뻣하고 찢김저항성이 나쁨 • 작업시간(2~3분)과 경화시간(6~7분)이 다른 고무 인상재에 비해 짧음 • 크기 안정성이 우수(부가중합)
재료 8-5-4 A항	폴리이써 고무인상재의 특성을 설명할 수 있다.

석고모형 제작 과정	① 먼저 인상 채득한 음형인기에 묻은 타액이나 혈액 등을 흐르는 물로 제거 ② 물을 먼저 rubber bowl에 넣고 석고 분말을 넣어 혼합 ③ 혼합된 석고를 인상체에 주입할 때는 진동기를 이용(과도한 진동은 오히려 기포를 더 발생) ④ 인상의 한쪽 끝에서부터 흘려 채워 넣음 ⑤ 내부에 공기가 함입되지 않도록 주의 ⑥ 일단 채워진 인상은 건드리지 말고 100% 상대습도에서 보관 ⑦ 인상체에 석고를 채우고 인상체 변연보다 높게 석고를 올림 ⑧ 완전히 경화된 후 석고를 인상체에서 제거 ⑨ 모형을 소독한 후 보관한다.
재료 9-1-7 A항	석고모형 제작과정을 설명할 수 있다.

파워
치과위생사 국가시험

2020 기출치트키
200

시험장까지 들고 가는
합격비법노트!

001

휴 · 폐업 시 진료기록 등의 처리방법	• 부득이한 사유로 6개월을 초과하여 그 의료기관을 관리할 수 없는 경우: 폐업 또는 휴업신고 • 의료업을 폐업하거나 1개월 이상 휴업 시: 시장 · 군수 · 구청장에게 신고 → 매월의 의료기관 폐업신고의 수리상황을 그 다음달 15일까지 보건복지부장관에게 보고하여 함 • 기록 · 보존하고 있는 진료기록부 등을 관할 보건소장에게 넘겨야 함 • 직접 보관하고자 할 경우 폐 · 휴업 예정일 전까지 관할 보건소장의 허가를 득해야 함

법규 1-3-12 A항	휴·폐업 시 진료기록 등의 처리방법을 설명할 수 있다.

002

기록열람의
예외 사항
	• 환자의 배우자, 직계 존속 · 비속, 형제 · 자매(한정적) 또는 배우자의 직계 존속이 환자 본인의
	  동의서와 친족관계임을 나타내는 증명서 등을 첨부하는 등 보건복지부령으로 정하는 요건을
	  갖추어 요청한 경우
	• 환자가 지정하는 대리인이 환자 본인의 동의서와 대리권이 있음을 증명하는 서류를 첨부하는
	  등 보건복지부령으로 정하는 요건을 갖추어 요청한 경우
	• 환자가 사망하거나 의식이 없는 등 환자의 동의를 받을 수 없어 환자의 배우자, 직계 존속 · 비
	  속, 형제 · 자매(한정적) 또는 배우자의 직계 존속이 친족관계임을 나타내는 증명서 등을 첨부
	  하는 등 보건복지부령으로 정하는 요건을 갖추어 요청한 경우

법규 1-2-11 B항	기록, 열람 등의 예외사항을 열거할 수 있다.

003

진료기록부의 보존기간	보존기간	내용
	10년	진료기록부, 수술기록, 예방접종기록
	5년	환자 명부, 검사소견기록, 간호기록부, 조산기록부, 방사선사진 및 그 소견서
	3년	진단서 등의 부본(진단서·사망진단서 및 시체검안서 등 따로 구분하여 보존)
	2년	처방전(기공물 제작의뢰서 등)

법규 1-2-14 A항	진료기록부 등의 보존기간을 설명할 수 있다.

의료광고의 금지 기준	• 평가를 받지 아니한 신의료기술에 관한 광고 • 치료효과를 오인하게 할 우려가 있는 내용의 광고 • 다른 의료인 등의 기능 또는 진료방법과 비교하는 내용의 광고 • 다른 의료인 등을 비방하는 내용의 광고 • 수술 장면 등 직접적인 시술행위를 노출하는 내용의 광고 • 의료인의 기능, 진료방법과 관련하여 심각한 부작용 등 중요한 정보를 누락하는 광고 • 객관적인 사실을 과장하는 내용의 광고나 법적 근거가 없는 자격이나 명칭을 표방하는 내용의 광고 • 신문, 방송, 잡지 등을 이용하여 기사 또는 전문가의 의견형태로 표현되는 광고 • 심의를 받지 아니하거나 심의받은 내용과 다른 내용의 광고 • 외국인 환자를 유치하기 위한 국내광고 • 소비자를 속이거나 소비자로 하여금 잘못 알게 할 우려가 있는 방법으로 비급여 진료비용을 할인하거나 면제하는 내용의 광고 • 의료광고의 방법 또는 내용이 국민의 보건과 건전한 의료경쟁의 질서를 해치거나 소비자에게 피해를 줄 우려가 있는 것으로서 대통령령으로 정하는 내용의 광고

법규 1-5-1 A항	의료광고의 금지 등의 기준을 열거할 수 있다.

005

의료인의
자격정지 사유
	*1년의 범위 안에서 자격정지시킬 수 있음
	• 의료인의 품위를 심하게 손상시키는 행위를 한 때
	  – 학문적으로 인정되지 아니하는 진료행위(조산 업무와 간호 업무를 포함)
	  – 비도덕적 진료행위
	  – 거짓 또는 과대 광고행위
	  – 불필요한 검사·투약·수술 등 지나친 진료행위를 하거나 부당하게 많은 진료비를 요구하는 행위
	  – 전공의 선발 등 직무와 관련하여 부당하게 금품을 수수하는 행위
	  – 다른 의료기관을 이용하려는 환자를 영리를 목적으로 자신이 종사하거나 개설한 의료기관으로 유인하거나 유인하게 하는 행위
	  – 자신이 처방전을 발급하여 준 환자를 영리를 목적으로 특정 약국에 유치하기 위하여 약국개설자나 약국에 종사하는 자와 담합하는 행위
	• 의료기관 개설자가 될 수 없는 자에게 고용되어 의료행위를 한 때
	• 일회용 주사의료용품 재사용금지 위반 시
	• 진단서·검안서 또는 증명서를 거짓으로 작성하여 내주거나 진료기록부 등을 거짓으로 작성하거나 고의로 사실과 다르게 추가 기재·수정한 때
	• 태아 성감별행위 등의 금지를 위반한 경우
	• 의료기사가 아닌 자에게 의료기사의 업무를 하게 하거나 의료기사에게 그 업무 범위를 벗어나게 한 때
	• 관련 서류를 위조·변조하거나 속임수 등 부정한 방법으로 진료비를 거짓 청구한 때
	• 부당한 경제적 이익 등의 취득금지를 위반하여 경제적 이익 등을 제공받은 때
	• 이 법 또는 이 법에 따른 명령을 위반한 때
	*의료진이 자진하여 신고한 경우 그 처분을 감경하거나 면제, 사유가 발생한 날로부터 5년이 지나면 자격정지 처분을 하지 못한다.

법규 1-6-10 A항	의료인의 자격정지 사유를 열거할 수 있다.

치과위생사의 업무	치아 및 구강질환의 예방 및 위생관리 등에 관한 업무 • 치석 등 침착물의 제거, 불소도포, 임시 충전, 임시부착물 장착, 부착물 제거, 치아 본뜨기 • 교정용 호선의 장착 · 제거, 그 밖에 치아 및 구강질환의 예방과 위생에 관한 업무 • 안전관리기준에 맞게 진단용 방사선 발생장치를 설치한 보건기관 또는 의료기관에서 구내 진단용 방사선 촬영업무
	TIP! 보철물의 제작, 수리 또는 가공은 치과기공사의 업무

법규 2-1-3 A항	의료기사 등의 종별 업무범위와 한계를 설명할 수 있다.

국가시험 응시자격 제한	1회 응시제한 • 시험 중에 대화 · 손동작 또는 소리 등으로 서로 의사소통을 하는 행위 • 시험 중에 허용되지 않는 자료를 가지고 있거나 해당 자료를 이용하는 행위 2회 응시제한 • 시험 중에 다른 사람의 답안지 또는 문제지를 엿보고 본인의 답안지를 작성하는 행위 • 시험 중에 다른 사람을 위해 시험 답안 등을 알려주거나 엿보게 하는 행위 • 다른 사람의 도움을 받아 답안지를 작성하거나 다른 사람의 답안지 작성에 도움을 주는 행위 • 본인이 작성한 답안지를 다른 사람과 교환하는 행위 • 시험 중에 허용되지 아니한 전자장비 · 통신기기 또는 전자계산기기 등을 사용하여 시험답안을 전송하거나 작성하는 행위 • 시험 중에 시험문제 내용과 관련된 물건(시험 관련 교재 및 요약자료를 포함한다)을 다른 사람과 주고 받는 행위 3회 응시제한 • 본인이 직접 대리시험을 치르거나 다른 사람으로 하여금 시험을 치르게 하는 행위 • 사전에 시험문제 또는 답안을 타인에게 알려주거나 알고 시험을 치른 행위

법규 2-1-8 A항	의료기사 등의 국가시험 응시자격 제한 등을 설명할 수 있다.

의료기사의 실태 등 신고사항	① 의료기사 등은 대통령령으로 정하는 바에 따라 최초로 면허를 받은 후부터 3년마다 그 실태와 취업상황을 보건복지부장관에게 신고하여야 함(매 3년이 되는 해의 12월 31일까지) ② 보건복지부장관은 보수교육을 받지 아니한 의료기사 등에 대하여 위의 ①에 따른 신고를 반려할 수 있음 ③ 면허가 취소된 후 면허증을 재발급받은 경우: 면허증을 재발급받은 날 신고 ④ 의료기사 등의 실태와 취업상황을 신고하려는 사람은 의료기사 등의 실태 신고서(전자문서로 된 신고서를 포함)에 필요 서류를 첨부하여 중앙회의 장에게 제출, 중앙회의 장은 분기별로 보건복지부장관에게 보고 ⑤ 신고업무를 전자적으로 처리할 수 있는 전자정보처리시스템 구축, 운영

법규 2-1-13 A항	의료기사 등의 실태 등 신고사항을 설명할 수 있다.

의료기사의 면허 취소 및 재발급	면허취소 내용	면허 재발급 불가 기간
	• 정신질환자 • 마약류중독자 • 피성년후견인, 피한정후견인 • 금고 이상의 실형을 선고받고 그 집행이 끝나지 아니하거나 면제되지 아니한 사람	처분의 원인된 사유가 소멸되었을 때 1년 이내
	• 다른 사람에게 면허를 대여한 경우	1년 이내
	• 치과의사가 발행하는 치과기공물제작의뢰서에 따르지 아니하고 치과기공물제작 등 업무를 한 때	6개월 이내
	• 면허자격정지 또는 면허효력정지 기간에 의료기사 등의 업무를 하거나 3회 이상 면허자격정지 또는 면허효력정지 처분을 받은 경우	1년 이내

법규 2-1-10 A항   의료기사 등의 면허증 재발급에 대해 설명할 수 있다.

3년 이하의 징역 또는 3천만원 이하의 벌금 사항	• 의료기사 등의 면허없이 의료기사 등의 업무를 한 사람 • 타인에게 의료기사 등의 면허증을 빌려 준 사람 • 업무상 알게 된 비밀을 누설한 사람(※ 고소가 있어야 공소 제기 – 친고죄) • 치과기공사의 면허없이 치과기공소를 개설한 자(개설 등록한 치과의사는 제외) • 치과의사가 발행한 치과기공물제작 의뢰서에 따르지 아니 하고 치과기공물 제작 등 업무를 행한 자 • 안경사의 면허없이 안경업소를 개설한 사람

	TIP
	• 500만원 이하의 벌금
	  – 2개소 이상의 치과기공소를 개설한 경우
	  – 등록을 하지 아니 하고 치과기공소를 개설한 경우
	  – 의료기사 등의 면허 없이 의료기사 등의 명칭을 사용한 경우
	• 100만원 이하의 과태료
	  – 실태와 취업 상황을 허위로 신고한 경우

법규 2-1-19 A항   의료기사 등의 3년 이하의 징역 또는 3천만원 이하의 벌금 사항을 열거할 수 있다.

지역보건의료계획 수립 절차	절차: 상향식으로 위로 올라감 • 시장·군수·구청장 → 시·군·구위원회의 심의 → 지역보건의료계획 수립 → 시·군·구의회에 보고 → 시·도지사에게 제출 • 시·군·구의 지역보건의료계획을 받은 시·도지사 → 시·도위원회의 심의 → 지역보건의료계획을 수립 → 시·도의회에 보고 → 보건복지부장관에게 제출

법규 3-1-5 A항   지역보건의료계획의 수립 등에 대해 설명할 수 있다.

012

지역보건의료계획 수립	• 지역보건의료계획 및 그 연차별 시행계획의 제출 시기: 시·도지사(2월말) 또는 시장·군수·구청장(1월 31일까지) • 지역보건의료계획 수립: 4년마다 　– 연차별 시행 계획: 매년 수립 　– 주요내용: 2주 이상 지역주민에게 공고하여 의견수렴 • 지역보건의료계획의 내용(공통) 　– 보건의료 수요의 측정 　– 지역보건의료서비스에 관한 장기·단기 공급대책 　– 인력·조직·재정 등 보건의료자원의 조달 및 관리 　– 지역보건의료서비스의 제공을 위한 전달체계 구성 방안 　– 지역보건의료에 관련된 통계의 수립 및 정리

법규 3-1-5 A항　지역보건의료계획의 수립 등에 대해 설명할 수 있다.

013

보건소의 설치	• 시·군·구별로 1개소 • 보건소를 추가로 설치·운영 　– 지역주민의 보건의료를 위하여 특히 필요하다고 인정하는 경우 　– 보건소 추가 설치: 행정안전부장관은 보건복지부장관과 미리 협의 • 2개 이상의 보건소가 설치되어 있는 경우 업무를 총괄하는 보건소를 지정하여 운영 • 보건소장 자격: 의사의 면허를 가진 자 　– 시장·군수·구청장의 지휘·감독을 받아 보건소의 업무를 관장 　– 소속 공무원을 지휘·감독 　– 관할 보건지소, 건강생활지원센터 및 보건진료소의 직원 및 업무에 대하여 지도·감독 **TIP!** • 건강생활지원센터는 읍·면·동마다 1개씩 설치할 수 있다. • 병원의 요건을 갖춘 보건소는 보건의료원이라는 명칭을 사용할 수 있다.

법규 3-3-1 A항　보건소의 설치를 설명할 수 있다.

014

보건소의 기능 및 업무	• 건강 친화적인 지역사회 여건의 조성 • 지역보건의료정책의 기획, 조사·연구 및 평가 • 보건의료인 및 보건의료기관 등에 대한 지도·관리·육성과 국민보건 향상을 위한 지도·관리 • 보건의료 관련기관·단체, 학교, 직장 등과의 협력체계 구축 • 지역주민의 건강증진 및 질병예방·관리를 위한 다음 각 목의 지역보건의료서비스의 제공

법규 3-3-2 A항　보건소의 기능 및 업무를 열거할 수 있다.

015

전문인력의
적정 배치
	• 보건복지부장관
	  – 지역보건의료기관의 전문인력의 자질 향상을 위하여 필요한 교육훈련을 시행
	  – <u>전문인력의 배치 및 운영 실태를 조사(2년마다)</u>
	  – 전문인력의 적절한 배치 및 운영이 필요하다고 판단하는 경우 시 · 도지사에게 전문인력 등의
	    교류 권고
	• 시 · 도지사
	  – <u>지역보건의료기관 간에 전문인력의 교류</u>
	  – <u>지역보건의료기관의 전문인력의 자질 향상을 위하여 필요한 교육훈련을 시행</u>
	• 전문인력의 임용자격기준(영 제17조)
	  – 지역보건의료기관의 기능을 수행하는 데 필요한 면허자격 또는 전문지식이 있는 사람
	  – <u>해당 분야의 업무에서 2년 이상 종사한 사람 우선적으로 임용</u>
	• 전문 교육훈련의 대상 및 기간
	  – 기본교육훈련: 신규로 임용되는 전문인력 3주 이상
	  – <u>직무 분야별 전문교육훈련: 재직 중인 전문인력 1주 이상</u>

법규 3-3-8 A항   전문인력 등의 배치 및 운영실태조사를 설명할 수 있다.

016

국가와 지방자치 단체의 책무	• <u>지역보건의료에 관한 조사 · 연구, 정보의 수집 · 관리 · 활용 · 보호, 인력의 양성 · 확보</u> 및 고용 안정과 자질향상 등을 위하여 노력 • 지역보건의료 업무의 효율적 추진을 위하여 <u>기술적, 재정적 지원</u> • 지역주민의 건강 상태에 격차가 발생하지 아니하도록 필요한 방안을 마련

법규 3-1-3 A항   국가와 지방자치단체의 의무를 설명할 수 있다.

017

구강보건사업 기본계획의 수립	• 기본계획: 보건복지부장관 – 5년마다 • 세부계획: 시 · 도지사 – 매년 • <u>시행계획: 시장 · 군수 · 구청장 – 매년</u>

법규 4-2-1 A항   구강사업계획의 수립을 설명할 수 있다.

018

수돗물불소농도 조정사업과 관련된 보건소장의 업무	*사업관리자가 수돗물불소농도조정사업과 관련된 업무 중 보건소장으로 하여금 행하게 할 수 있는 업무 • 불소농도 측정 및 기록: 주 1회 이상 측정 • 불화물 첨가시설의 점검 • <u>수돗물불소농도조정사업에 대한 교육 및 홍보</u>

법규 4-3-7 A항   수돗물 불소농도조정사업과 관련한 보건소장, 상수도 사업소장의 업무를 설명할 수 있다.

019

사업장 구강보건 교육의 내용	• 구강보건에 관한 사항 • 직업성 치과질환의 종류에 관한 사항 • 직업성 치과질환의 위험요인에 관한 사항 • 직업성 치과질환의 발생, 증상 및 치료에 관한 사항 • 직업성 치과질환의 예방 및 관리에 관한 사항 • 기타 구강보건증진에 관한 사항
법규 4-5-1 A항	사업장 구강보건사업에 대하여 설명할 수 있다.

020

장애인 구강진료센터의 설치	• 보건복지부장관: 중앙장애인구강진료센터를 설치 · 운영 • 시 · 도지사: 권역장애인구강진료센터 및 지역장애인구강진료센터를 설치 · 운영 • 전문인력과 시설을 갖춘 기관에 위탁 　– 중앙 · 권역장애인구강진료센터: 치과병원 또는 종합병원 　– 지역장애인구강진료센터: 보건소
법규 2-1-10 A항	의료기사 등의 면허증 재발급에 대해 설명할 수 있다

🔍 구강해부학(7문항)

021

하악골 내측면 구조물	• 하악체: 이극, 이복근와, 악설골근선, 설하선와, 악하선와 • 하악지: 하악공, 하악관, 하악소설, 악설골신경구, 익돌근와, 익돌근조면, 구후삼각

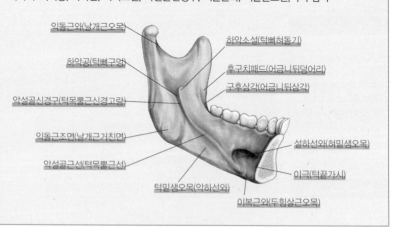

해부 2-2-5 A항	하악골의 내측면에서 관찰되는 구조물을 설명할 수 있다.

022

구륜근 (입둘레근)	• 고유근: 상순절치근, 비순근, 하순절치근
	• 입술을 오므려 휘파람 불거나 입술을 모아 다물게 함
	• 저작 시 구강의 음식물이 밖으로 나오는 것을 방지

해부 3-1-4 A항	구륜근의 작용을 나열할 수 있다.

023

저작근 (씹기근육)	종류	기시	정지	작용
	측두근 (관자근)	• 측두근막 • 하측두선 • 측두와	근돌기	• 폐구운동 • 전진운동: 전측두근 • 후퇴운동, 측방운동: 후측두근 • 회선운동: 중측두근
	교근 (깨물근)	• 천부: 관골궁 앞쪽 2/3 하연, 상악골 관골돌기 • 심부: 관골궁 뒤쪽 1/3, 내면	교근조면	• 폐구운동 • 전진운동: 천부 • 후퇴운동: 심부
	내측익돌근 (안쪽날개근)	• 상악결절, 추체돌기 • 익돌와	익돌근조면	• 폐구운동 • 전진운동: 천부 • 측방운동: 심부
	외측익돌근 (가쪽날개근)	• 상두: 접형골 대익의 측두하면 및 측두하릉 • 하두: 익상돌기 외측판의 외면	• 상두: 관절낭 • 하두: 익돌근와	• 개구운동(초기) • 전진운동 • 측방운동

해부 3-1-10 A항	외측익돌근의 기시, 정지와 작용을 설명할 수 있다.

024

이하선	종류	위치	도관(성분)	개구부위	신경지배
	이하선(귀밑샘)	귀의 전하방	이하선관(장액선)	이하선유두	설인신경의 소추체신경
	악하선(턱밑샘)	하악각의 전내측 악하 선와	악하선관(혼합선)	설하소구	안면신경의 고삭신경
	설하선(혀밑샘)	설소대 양쪽의 점막 밑	대설하선관 소설하선관 (혼합선)	설하소구 설하주름	안면신경의 고삭신경

해부 5-1-10 A항	대타액선의 종류 및 위치를 설명할 수 있다.

025

악동맥 익구개부 (상악) 분포영역	• 후상치조동맥: 상악 소구치, 대구치 및 그 부위의 협측 치은, 상악동 점막 • 안와하동맥 　– 전상치조동맥: 상악 전치부 및 그 부위의 순측 치은 　– 안면지: 안와하공 부근의 근육, 누낭 • 익돌관동맥: 인두의 상부, 이관, 중이, 고실 • 하행구개동맥 　– 대구개동맥: 경구개 뒤쪽(상악 구치부 설측 치은), 구개선 　– 소구개동맥: 연구개, 구개편도 • 접구개동맥 　– 하행중격동맥: 경구개 앞쪽(상악 전치부 설측 치은) 및 점막 　– 후외측비지: 비강의 뒤쪽, 사골동, 전두동 및 상악동 점막

해부 6-2-5 A항	악동맥의 분포영역을 설명할 수 있다.

026

머리 및 목의 림프절 종류	• 악하림프절: 하악 견치 · 소구치 · 대구치, 상순과 하순의 가쪽 부분, 악하선 및 설하선, 설(혀)의 가장자리 부분 • 이하림프절: 하악 절치와 치은, 하순의 중앙, 혀의 끝 • 이하선림프절: 이하선, 이마, 눈꺼풀, 구개의 뒤쪽 • 인두뒤림프절: 구개의 일부(연구개), 비인두 • 심안면림프절: 측두와, 측두하와 및 구개, 식도, 혀, 비강

해부 6-4-2 B항	머리 및 목 림프절의 종류를 나열할 수 있다.

후상치조신경의 분포영역	가지			분포영역
	관골신경 (광대신경)	관골측두신경(광대관자신경)		측두부 피부, 누선 분비에 관여
		관골안면신경(광대얼굴신경)		관골부 피부
	익구개신경절 (날개입천장신경절)	구개신경 (입천장신경)	대구개신경 (큰입천장신경)	상악 구치부 설측 치은 및 점막
			소구개신경 (작은입천장신경) (코가지)	연구개, 구개수, 구개편도
		비지 (코가지)	비구개신경 (코입천장신경)	상악 전치부 설측 치은 및 점막
	안와하신경 (눈확아래신경)	후상치조신경(뒤위이틀신경)		상악 대구치 및 그 부위의 협측 치은, 상악동 점막
		중상치조신경(중간위이틀신경)		상악 소구치 및 그 부위의 협측 치은
		전상치조신경(앞위이틀신경)		상악 전치 및 그 부위의 순측 치은
	종말지	하안검지(아래눈꺼풀가지)		하안검
		외비지(바깥코가지)		코의 바깥 부위
		상순지(위입술가지)		상순

해부 7-2-3 A항	상악신경의 주요 가지를 설명할 수 있다.

028

유치의 번호표기법	• 사분구획법: 유치는 알파벳 대문자로 표기(A~E)

E D C B A	A B C D E
E D C B A	A B C D E

• 국제치과연맹표기법(F.D.I): 유치 앞의 숫자(50, 60, 70, 80번), 유치 뒤의 숫자(1~5번)

55 54 53 52 51	61 62 63 64 65
85 84 83 82 81	71 72 73 74 75

• 연속표기법: 유치는 A~T까지 알파벳 대문자

A B C D E	F G H I J
T S R Q P	O N M L K

출제 POINT 치아번호를 묻는 문제가 나온다!
Q. 상악좌측유견치의 국제치과연맹표기법은?
A. 63

형태 5-1-2 A항 치아의 표기법을 설명할 수 있다.

029

치근의 수에 따른 치근분류	• 단근치: 1개의 치관과 1개의 치근 – 상·하악 전치(1~3), 상악 제1소구치를 제외한 소구치 – 유전치(A~C) • 복근치: 1개의 치관에 2개의 치근 – 상악 제1소구치(협측근, 설측근) – 하악 대구치, 하악 유구치(근심근, 원심근) • 다근치: 1개의 치관에 3개 이상의 치근 – 상악 대구치(설측근, 근심협측근, 원심협측근) – 상악 유구치(설측근, 근심협측근, 원심협측근)

형태 8-3-1 A항 치근의 수에 따른 치근을 분류할 수 있다.

030

만곡상징	전치부의 절단이나 구치부의 교합면에서 보면 근심부위가 원심부위보다 잘 발달되어 풍융도가 크고 돌출되어 있는 상태

형태 9-1-3 A항 만곡상징을 설명할 수 있다.

031

상악 중절치 치관 특징	• 절단연은 원심으로 가면서 약간 설측 경사 • 순 · 설경 〈 근 · 원심경 • 근심연이 가장 길고, 치경연이 가장 짧음 • 근심연은 길고 직선형, 원심연은 짧고 곡선형 • 설면결절은 약간 원심측에 있음 • 원심면의 접촉부위는 절단 1/3 부위와 중앙 1/3부위의 경계에 위치
형태 10-1-2 A항	상악 중절치의 순면에 나타나는 구조물을 설명할 수 있다.

032

상악 견치 설면의 구조물	• 순면보다 근원심폭이 약간 좁음(마름모형) • 원심설면 부융선의 발육이 좋아 그 중앙부가 불쑥 튀어나와 있음 • 설면융선과 변연융선의 발달 • 융선에 의해 근심설면와, 원심설면와로 나뉨 • 1~3개의 극돌기(절치에서 보다 훨씬 뚜렷)
형태 11-1-3 A항	상악 견치 설면의 구조물을 설명할 수 있다.

033

개재결절	• 상악 제1소구치의 근심변연융선상에 형성되는 작은 결절
형태 12-1-5 A항	개재결절(Terra tubercle)을 설명할 수 있다.

034

하악 제1대구치 교합면의 구조물	• 우각: 근심의 협 · 설측 우각이 예각, 원심 협 · 설측 우각이 둔각 • 교두: 근심협측교두가 가장 큼 • 발육구(4개): 중심구, 근심협측구, 원심협측구, 설측구 *하악 제2대구치에서 +형의 발육구가 나타남 • 횡주융선(2개): 근심횡주융선, 원심횡주융선 • 삼각구: 원심교두에는 삼각융선과 삼각구 없음
형태 13-4-5 A항	하악 제1대구치의 교합면에 나타나는 융선을 설명할 수 있다.

035

결합조직의 특징	• 세포간질이 많아 세포 사이 간격이 넓음 • 인체의 기본 조직 중 가장 많은 무게를 차지하고 있음 • 대부분 재생이 가능함(연골세포 제외) • 혈관과 신경이 풍부함 • 결합조직의 주체는 섬유모세포: 섬유단백질(교원, 탄력, 세망섬유 등) 생성
조직 3-1-1 A항	결합조직의 구조와 특징을 설명할 수 있다.

036

일차구개	• 상순형성 시 입천장을 바라보았을 때 상순의 후방에 형성되는 삼각형의 돌출부 • 내측비돌기가 융합하여 형성
조직 6-2-1 A항	구개의 형성 과정을 설명할 수 있다.

037

모상기(모자시기) 치배의 특징	• 발생 9주 • 상피성부분(치아기=법랑기): 내법랑상피(내치상피), 성상세망(법랑수), 외법랑상피(외치상피) • 중간엽조직: 치유두, 치소낭
조직 7-2-2 A항	모상기(모자시기) 치배의 특징을 설명할 수 있다.

038

헤르트비히 상피근초	• 치경고리(내법랑상피와 외법랑상피)가 증식하여 형성됨 • 치근에 존재하는 치유두의 상아모세포로 분화를 유도하여 치근 상아질 형성 • 치근의 외형 형성 • 치근상아질 형성 후 상피근초가 붕괴된 후 남아 있는 세포 → 말라세즈 상피잔사 형성 → 치성낭종으로 진행될 수도 있음
조직 7-3-2 A항	Hertwig의 상피근초와 Malassez의 상피잔사를 설명할 수 있다.

039

법랑질 성장선	법랑질 성장선: 횡문, 레찌우스선조, 주파선조, 신생선 • 횡(선)문: 가로무늬근, 법랑소주를 가로지르는 선, 하루 4 µm 성장 • 레찌우스선조: 잘 발달된 횡선문이 이어진 것, 사람의 영구치에서 뚜렷이 나타남 • 주파선조: 레찌우스 선조가 법랑질 표면에 도달하는 부위 표면에 형성된 얕은 고랑 • 신생선: 레찌우스선이 출생에 의해 생긴 선
조직 9-1-3 A항	법랑질의 성장선에 대하여 설명할 수 있다.

040

경화상아질의 특징	• 투명상아질 • 외부의 자극이 장기간에 걸쳐 가해져 상아세관이 폐쇄되어 형성된 상아질 • 관주(내)상아질이 다량 형성되어 상아세관이 폐쇄되어 형성됨 • 고령자의 치근과 정지우식증에서 흔히 관찰
조직 9-2-6 A항	경화상아질을 설명할 수 있다.

041

저작점막	• 각화된 중층편평상피 • 점막고유층이 두껍고 치밀한 치밀성 결합조직 • 점막하층이 없거나 적음 • 점막고유층 또는 점막하층은 치조골 또는 구개골의 골막과 결합 • 부착치은, 경구개 등
조직 8-1-3 A항	구강점막의 조직학적인 특성을 설명할 수 있다.

🔎 구강병리학(7문항)

042

염증의 5대 증상	• 발적: 모세순환계의 혈류 증가 • 발열: 모세순환계의 혈류 증가 • 종창: 유해자극이 있는 곳으로 혈장 성분이 삼출됨으로써 야기 • 동통: 종창에 의한 부분적 압력 증가 → 국소적 감각신경 말단부위의 압박 • 기능상실: 조직 파괴와 동통, 신경장애로 부분적인 기능 저하(혹은 상실)
병리 2-1-1 A항	염증의 5대 증상을 설명할 수 있다.

043

베체트증후군의 특징	• 특징: 구강, 생식기, 눈 중 두 가지 이상에서 궤양과 염증 발현 시 의심해야 할 질환
	  – 구강점막: 재발성 아프타(소아프타) 보임
	  – 생식기의 궤양
	  – 피부병변: 구진, 반점성 혹은 농포성 피부병소 발생
	  – 안구 염증, 광선눈통통, 결막염, 포도막염
	  – 통증이 있고 재발이 잘 되는 자가면역질환
	• 원인 불명(가족력이 있음)
	• 치료: 스테로이드 사용

병리 4-1-7 A항	베체트 증후군(베체트 병)에 대하여 설명할 수 있다.

044

칸디다증	• 진균성 질환: Candida albicans • 상재미생물에 의한 기회감염증: 내인성 감염, 기회감염증, 균교대현상, 의치를 사용하는 사람에게서 호발 • 병소에 회백색 혹은 유백색 막이 점이나 지도모양으로 부착: 뺨의 안쪽, 입술 점막, 혀 등 • 구각미란 유발 • 점막상피의 표층, 특히 각화층 또는 착각화층에 칸디다의 침입 확인
병리 5-1-9 A항	칸디다증의 임상 증상을 설명할 수 있다.

045

급성치수염의 특징	• 원인: 깊은 우식와(세균 침입) • 둔통 혹은 매우 강한 통증 • 자발통, 박동통, 방산통(연관통 있음), 지속통, 심야통 • 냉자극(초기) → 열자극(시간경과 후 화농이 있는 경우: 냉수 등이 통증완화) • 치아의 정출감과 타진통이 심해짐 • 호중구의 현저한 침윤 • 치료: 발수와 근관치료, 치아발거
병리 7-1-5 A항	급성 치수염에 대하여 설명할 수 있다.

046

쌍생치	• 한 개의 치배가 불완전한 두 개의 치배(치아) 형성 • 치관은 두 개로 분리되지만 치근과 치수강은 하나임(2개 치관 + 1개 치근) • 호발부위: 유치(하악 유전치) > 영구치(상악 전치)
병리 10-1-4 A항	쌍생치에 대하여 설명할 수 있다.

047

하마종 (두꺼비종)	• 구강저에서 발생하는 점액낭 • 설하선과 악하선 등 대타액선의 도관 폐쇄 또는 절단 • 점액낭보다 큼 • 정중부의 측방에 위치
병리 12-1-4 A항	하마종에 대하여 설명할 수 있다.

048

선양치성종양	• 법랑기에서 유래하는 양성 상피성종양 • 호발: 10대 젊은 여성, 상악 전치부(매복치아를 수반) • 매복치아를 가진 경우(미맹출 견치부) 함치성 낭종과 구별하기 어려움 • 재발없음 • 조직학적 특징 　– 선관양구조와 꽃다발 모양(화관상)의 구조(호산성물질 함유) 　– 종양 내에는 작은 석회화물질이 보임: 투과 · 불투과 혼합병소 　– 종양 주위에는 섬유성 피막 형성

병리 14-1-4 A항	선양 치성종양에 대하여 설명할 수 있다.

🔎 구강생리학(7문항)

049

골격근의 수축과 이완	• 근원섬유: 근절과 I대, H대는 짧아지지만 A대는 변함이 없음 • 근형질내세망 삼련구조: Ca^{2+} 방출에 관여 • 근육의 수축–이완 　– ATP의 분해가 일어남(에너지가 소모됨) 　– 아세틸콜린이 활동전위를 일으키면 활동전위는 근막을 따라 T세관으로 이동 　– 칼슘이온이 트로포닌과 결합하여 결합부위를 열어줌 　– 미오신의 머리 부위 부착하여 수축 시작 　– 근육의 이완: 활동 전위가 사라지면 Ca^{2+}은 근소포체로 능동수송 → 액틴필라멘트에 결합했던 Ca^{2+}이 사라지면 원래의 위치로 이동

생리 3-1-8 A항	골격근의 수축과 이완 기전을 설명할 수 있다.

050

세뇨관	① 사구체 여과 　대동맥을 거쳐 콩팥동맥으로 들어온 혈액은 신피질에 존재하는 사구체를 지나는 동안 여과 → 보우만주머니로 나옴 → 원뇨(하루 약 180 ℓ)→ 여과 → 약 1 ℓ 요(여과된 원뇨의 99.5%는 재흡수) ② 세뇨관 재흡수 　여과된 원뇨 → 세뇨관(필요성분 재흡수, 불필요성분 분비) → 요(오줌) → 신우 • 세뇨관 재흡수(필요성분): 포도당, 아미노산, 물, Na^+, Cl^- 등 • 세뇨관 분비(불필요성분): K^+, H^+, NH_3 등 ③ 재흡수된 물질은 세뇨관 주위의 모세혈관으로 들어가서 혈액과 혼합

생리 8-1-2 A항	신장의 요 생성과정을 설명할 수 있다.

051

타액의 기능	• 소화작용: Amylase(전분을 덱스트린이나 맥아당(이당류)으로 분해) • 윤활작용: Mucin(구강점막을 매끄럽게, 저작 · 연하 · 발음기능을 원활) • 점막의 보호작용: Mucin, 수분, EGF(상피성장인자) 등 • 용해(매)작용: 수분(물질을 용해) • 완충작용: 중탄산염(탄산수소염), 인산염, 고히스티딘 펩티드 등 • 재석회화(재광화)의 작용: 칼슘농도와 인산농도 포화유지(스타테린, 산성프롤린 단백질 등) • 청정작용(자정작용): 구강청결, 세균부착억제(SIgA, mucin) • 항균작용: Lysozyme, lactoferrin, SIgA, 로단화합물 등 • 배설작용: 유독물질(요소, 암모니아, 납, 수은, 창연 등)을 타액으로 배설 • 체액 조절작용: 체액 감소 → 수분생성 감소(타액 하루에 1.5 ℓ) • 내분비작용: Parotin 분비(뼈나 치아의 발육을 촉진, 노화현상 억제)
생리 15-1-2 A항	타액의 기능을 설명할 수 있다.

052

항이뇨호르몬 (바소프레신)	• 뇌하수체 후엽호르몬 • 신장에서 수분재흡수 촉진(요량 감소)
	TIP! 옥시토신은 자궁근육을 수축하는 뇌하수체 후엽호르몬!
생리 9-1-3 A항	뇌하수체 호르몬의 생리작용을 설명할 수 있다.

053

치주인대의 기능	• 치아를 지지하고 고정하는 기능: 치근을 치조골에 결합시킴 • 교합압의 분산 및 완충기능 • 감각수용기 • 경조직의 형성과 흡수 기능: 파골세포, 백악모세포, 골모세포 등 • 영양공급: 백악질 및 치조골 • 저작운동의 반사적 조절기능
생리 13-1-3 A항	치주인대의 구성과 기능을 설명할 수 있다.

054

치아의 교합감각	• 상하의 치아로 물체를 물었을 때 물체의 크기나 단단한 정도를 식별하는 감각
	  – 치주인대와 교근과 악관절에서의 감각정보를 종합
	  – 8 ~35 μm의 작은 물체 감지
	  – 치아 장축 방향보다 측방자극에 대해 약 3~4배 민감함
	• 역치는 두께가 다른 금속면 또는 고무조각을 물게 하여 측정
	• 교합감각에 의한 두께의 지각 역치
	  – 정상치열 약 0.02 mm, 총의치 장착자 약 0.6 mm
	  – 총의치 장착자: 치주인대 수용기가 없어 구강감각기능 저하

생리 12-1-4 A항	치아의 교합감각에 대하여 설명할 수 있다.

055

교합력	• 치아 교합면에 가해지는 힘(연령, 성별, 치아부위에 따라 상이함)
	• 최대교합력은 20대가 가장 큼
	• 연령이 증가하면 감소
	• 남성이 여성보다 강함
	• 순서: M1 > P > C
	• 무치악은 유치악의 1/2 교합력
생리 14-1-8 A항	교합력과 저작력을 비교할 수 있다.

🔍 구강미생물학(5문항)

056

진핵생물(진균)의 특징	• 핵과 세포질로 구분
	• 다양한 세포내소기관 함유: 리소좀, 미토콘드리아, 골지체, 소포체 등
	• 비광합성이며 운동성이 없음
	TIP!
	• 진균: Candida albicans
	• 세균: Treponema pallidum, Streptococcus mutans, Staphylococcus aureus, Porphyromonas gingivalis
미생물 2-1-1 A항	원핵세포와 진핵세포의 차이점을 설명할 수 있다.

057

그람음성균의 외막	• 그람음성균 특유의 막구조: 그람양성균에는 없음
	• 리포다당(LPS) 함유: 내독소역할(O항원)
미생물 2-1-4 A항	세균의 구조와 각각의 기능을 설명할 수 있다.

058

특이적 면역 (적응면역, 후천성면역)	• 미생물 감염 후 유도됨: 특정 미생물에만 작용함
	• 반응하는데 시간이 필요함(수일)
	• 반복감염 시 미생물 항원을 "기억"함: 면역학적 기억
	• 빠르고 강력한 반응(반복감염 시)
	• 항원 특이 수용체(항체) 관여: 항원 특이성
	• B림프구와 T림프구에 의해서 야기
미생물 4-1-3 A항	비특이적 면역반응과 특이적 면역반응의 특징을 설명할 수 있다.

059

A. actinomycetem-comitans	<ul><li>그람음성 통성혐기성 간균</li><li>협막소유: 식균작용 방해, 치조골 흡수</li><li>내독소(LPS) 생산: 골흡수 활성</li><li>외독소(루코톡신) 생산: 다형핵백혈구와 단핵구에 독성</li><li>증식: CO_2 필요(호기적 성장 시, 호이산화탄소성 세균)</li><li>국소형 유년성치주염의 치주낭에서 높은 빈도로 분리</li><li>방선균과 함께 자주 분리되는 세균</li></ul>
미생물 11-1-6 A항	Actinobacillus actinomycetemcomitans 의 특성을 설명할 수 있다.

060

Actinomyces 종의 특징	<ul><li>방선균증의 원인균: 내인성감염</li><li>만성화농성질환 유발: 좁쌀 모양의 균 덩어리 형성(유황과립)</li><li>종창 및 누공형성</li><li>골손실을 동반한 치주조직의 파괴를 일으킴</li></ul>
미생물 12-1-4 A항	방선균증 원인균의 특성과 증상을 설명할 수 있다.

🔍 지역사회구강보건학(12문항)

061

포괄구강보건진료	<ul><li>전문성 + 일반성</li><li>구강보건수준을 향상시킬 수 있는 모든 시술이 서로 협조적인 조화를 이루어 보다 효율적으로 건강수준을 향상시킬 수 있는 구강보건진료 형태</li></ul>
지역 1-1-8 A항	포괄구강보건진료를 설명할 수 있다.

062

집단의 구강건강관리과정	<ul><li>순환주기: 12개월(실태조사 과정에서 관찰되지 않은 인접면 초기우식병소가 치수까지 진행되기 전에 발견하여 치료할 수 있는 최장기간)</li><li>과정: 실태조사(집단 규모, 환경조건 등 파악) → 실태분석(필요한 구강보건지표의 산출, 보고) → 사업계획 → 재정조치 → 사업수행 → 사업평가</li></ul>
지역 1-4-7 A항	집단의 구강건강관리과정을 설명할 수 있다.

영아의 구강보건 관리방법	• 구강청결관리: 양육자가 천이나 거즈, 칫솔을 이용해서 닦아주고 마사지 해줌 • 불소이용 • 정기적인 구강검진: 첫 번째 치아맹출 후 6개월 이전에 치과를 방문 • 식이지도: 9~12개월 경 우유병 대신 컵 사용, 우유병을 문 채로 잠든 경우 우유병 제거 • 상대중요도: 불소복용법(90%) > 식이조절(10%)
지역 2-3-2 A항	영아의 구강보건관리방법을 나열할 수 있다.

학생계속구강건강 관리 사업의 효과	• 증진구강진료수요가 감소 • 연간 구강건강관리비가 감소 • 구강진료수요는 관리단계가 지속될수록 감소 • 치과의사 1인당 연간 관리 가능학생 수가 증가 • 증진구강진료수요와 유지구강진료수요의 차이는 고학년에서 커진다.
지역 3-4-2 A항	학생 계속구강건강관리사업을 설명할 수 있다.

직업성 치아부식증	• 5가지 산(불화수소, 염소, 염화수소, 질산, 황산)을 취급하는 근로자에게 발생하는 직업성 치아부식증을 법정 직업병으로 지정 • 구강 내의 산생성균에 의해 생성된 산에 의한 것이 아님 • 외래성으로 다른 곳에서 제조된 산의 작용에 의해 치아표면이 탈회되고 치아외형이 변화되는 것 • 산화합물을 취급하는 근로자에게 발생 • 감귤류 등의 기호성이 높은 식품의 잦은 섭취 등에 의해서 발생 • 도금, 배터리, 염료 등의 공장에서 염화수소, 황산 등의 가스에 5~6년 이상 장기간 노출된 근로자의 전치부 순면에 발생
지역 5-2-2 A항	법정 직업성 구강병을 설명할 수 있다.

지역사회구강보건 사업의 특성	• 지역사회에서 주민들이 실천하여야 할 구강보건을 실천하도록 지원하는 사업 • 20세기 이후에 발전되고 있는 보건사업 • 지역사회의 조직적 공동노력으로 발전되는 사업 • 지역사회주민의 구강보건의식을 개발하는 사업 • 주민들이 구강보건을 실천하도록 지원하며 포괄적이고 예방지향적인 구강진료를 전달받도록 지원하는 사업 • 전체 지역사회개발사업의 일부임
지역 7-2-6 A항	지역사회 구강보건사업 수행을 설명할 수 있다.

구강보건실태조사 내용	• 주민구강보건의식 • 공중구강보건사업의 수혜자 등 • 활용가능한 구강보건인력자원과 그 활용도 • 구강건강실태(치아우식경험도, 지역사회 치주요양필요 정도) • 정부책임하에 공급되는 구강보건진료에 대한 주민의 견해 • 구강보건진료필요(상대구강보건진료필요, 유효구강보건진료수요, 공중구강보건사업의 형태로 공급할 수 있는 구강보건진료, 구강병 예방사업으로 감소시킬 수 있는 상대구강보건진료필요)
지역 7-2-2 A항	지역사회 조사내용을 설명할 수 있다.

하향식 구강보건 사업기획	• 정부주도로 진행 • 일부 후진국에서 채택하는 방식 • 지역주민의 자발적 참여 어려움
지역 7-2-5 A항	지역사회 구강보건사업 기획을 설명할 수 있다.

수돗물 불소농도 조정사업의 적정불소이온농도	• Dunning: 경도 이상의 반점치가 발생되지 않아야 함 • Maier: 경도 이상의 반점치가 발생되지 않아야 하고, 경미도 반점치 유병률이 10% 이하여야 함 • 적정 농도: 1.0 ppm • 우리나라: 0.8 ppm
	출제 POINT Q. 경도 이상의 반점치는 발생되지 않았고, 경미도반점치 유병률은 8%로 나타났을 때 적합한 조치는? A. 불소이온농도 현행유지
지역 7-5-4 A항	수돗물불소농도조정사업의 적정불소이온농도를 설명할 수 있다.

불소용액양치사업 방법	• 집단의 구성원들이 함께 불소용액을 입에 머금어 치아와 구강을 헹구는 사업 • 매일 1회: 0.05% NaF 용액 • 1~2주에 1회: 0.2% NaF 용액 • 유치원 아동 5 mℓ, 초등학교 아동 10 mℓ • 치아우식 예방효과: 약 25~50% • 자가불소도포법 중 효과가 제일 큼
지역 7-6-1 A항	불소용액양치사업의 방법을 설명할 수 있다.

071

구강역학연구	• 구강역학: 구강병이 발생하는 데에 작용하는 구강병 발생요인과 요인이 작용하는 기전을 규명하는 학문 → 구강보건사업 수립 및 평가자료로 활용 • 구강질병관리원칙: 구강질병이 발생하는 데에 작용하는 요인, 혹은 간접적인 요인을 제거함으로써 구강질병을 효과적으로 관리하는 원리 • 구강역학의 조사과정: 분포결정(질병발생 양태 파악) - 가설설정 - 가설입증 - 질병원인을 규명
지역 8-1-2 A항	구강역학의 개념을 설명할 수 있다.

072

질병발생양태	• 범발성: 질병이 수 개 국가나 전 세계에서 발생하는 양태 **ex** 치아우식증 • 유행성: 질병이 어떤 나라나 어떤 지역사회의 많은 사람에서 발생하는 양태 **ex** 콜레라, 페스트 • 산발성: 질병이 이곳저곳에서 개별적으로 발생하는 양태 **ex** 암 • 전염성: 질병이 병원성미생물이나 그 독성산물에 의하여 옮아서 발생되는 양태 **ex** 장티푸스 • 비전염성: 영양장애나 물리적, 문화적, 기계적 병인으로 발생하는 양태 **ex** 중독 • 지방성: 일부지방, 일부지역사회에서 특이질병이 계속적으로 발생 **ex** 반점
지역 8-3-3 A항	질병발생양태를 설명할 수 있다.

🔍 구강보건행정학(10문항)

073

1차 구강보건진료 특성	• 지역사회 내부에서 제공되어야 함 • 지역사회 주민의 자발적인 참여와 공중구강보건진료기관의 활동으로 제공 • 지역사회의 기본적인 구강보건진료를 충족시킬 수 있어야 함 • 치과의사 이외에 구강진료요원과 비전문적인 자조요원들과의 협동적 노력으로 제공됨 • 후송체계의 확립을 전제조건으로 함 • 전체 지역사회 개발사업의 일환으로 제공 • 구강보건 진료자원의 낭비를 최소화 함 • 자조요원들에서는 구강병예방과 구강보건교육 및 후송 등의 기능이 부여됨
행정 1-4-2 A항	1차 구강보건진료의 특성을 설명할 수 있다.

074

유효구강보건 진료수요	• 구강보건진료 수요 중에서 구강보건진료 소비자가 실제로 전달받아 소비하는 수요 **ex** 환자가 실제 제공받은 진료
행정 1-4-6 A항	유효구강보건진료수요를 설명할 수 있다.

혼합구강보건진료 제도의 특성	• 사회보장형 구강보건진료제도 • 구강진료제공자와 소비자 간의 조정자로서 국민의 보건을 위하여 <u>정부가 개입한 제도</u> (구강진료비 + 정부의 의사결정 → 구강보건진료자원의 배분) • 우리나라 구강보건진료제도 • 예방지향 포괄구강보건진료 공급 • 모든 국민에게 균등한 기회제공, 선택의 자유와 의료지원의 효율적 활용 • 의료적 행정체계가 복잡(대규모 조직 필요)
행정 1-2-3 A항	혼합구강보건진료제도를 설명할 수 있다.

현대구강보건진료 제도의 방향	• 구강보건진료소비자가 필요할 때 필요한 구강보건진료를 소비할 수 있어야 함 → 적절한 진료 제공 • <u>모든 국민이 구강보건진료를 균점하여야 함</u> • 혼합구강보건진료제도: 예방지향적이고 포괄적인 구강보건진료제도로 전환 • 구강건강을 효율적으로 증진시키려면 상대구강보건진료 필요가 등록되어야 함 • 소비자는 경제적 제약과 지리적인 문제로 인하여 구강보건진료를 소비할 수 없어 고통을 겪는 일이 없어야 함: 응급구강진료체계 마련 • 계속구강관리를 제공되어야 함
행정 1-2-5 A항	현대구강보건진료제도의 방향을 설명할 수 있다.

구강보건진료전달 제도의 확립방안	• 구강보건진료기관의 균등한 설치 및 분포 • 설치된 구강보건진료기관에 전문인력 확보 • 진료비 상승 억제 • 충분한 재정이 도달 • <u>진료의 규격화</u> • 진료기관 간 환자의뢰제도 확립
행정 1-3-2 A항	구강보건진료전달체계의 확립방안을 설명할 수 있다.

단결조직 활동권	구강진료소비자는 스스로의 기본권을 보장받기 위하여 단체를 조직하고, 이를 통하여 조직적인 활동을 할 권리가 있음 ex 피해환자들이 대책반을 구성하여 집단활동
행정 1-5-2 A항	소비자의 권리를 설명할 수 있다.

구강보건행정의 요소	• 구강보건(전문)지식 　– 치학지식, 구강보건진료 기술 　– 구강보건진료필요나 구강건강관리비, 구강보건의식 등의 조사에 필요 • 구강보건행정조직 　– 중앙보건행정조직: 보건복지부, 환경부 　– 지방보건행정조직: 시, 도/시, 군, 구 　– 일선보건행정조직: 시, 군, 구의 보건소(세부 구강보건사업목적의 설정) • 구강보건인력: 가장 중요한 자원 • 구강보건시설장비 • 구강보건재정: 국가나 지방자치단체를 막론하고 공공기관의 정책을 수행하기 위해서 필요한 　물질적 자원 • 구강보건법령: 가장 객관적이고 보편적인 기준 • 공중지지참여
행정 2-2-1 A항	구강보건행정의 요소를 열거할 수 있다.

미래구강보건상	• 구강보건정책목표, 제1구성요소 • 국민과 정부가 마땅히 지향하여야 할 바람직한 구강보건목표를 의미 　ex) "2030까지 아동청소년의 치아우식 경험률을 10% 줄인다" • 구강보건정책목표를 대략 구강보건실천목표, 구강보건지원목표, 구강질병예방목표, 구강건강 　증진목표 등으로 구분하여 설정
행정 2-3-2 A항	정책의 구성요소를 설명할 수 있다.

공식적 정책참여자로서의 입법부의 역할	• 예산의 편성과 심의과정에 관여 • 정책의제 형성에 대한 민의반영 • 정책집행에 대한 통제와 감시기능 • 결산을 통한 정책평가 기능
행정 2-3-4 A항	정책과정 시 참여자의 역할을 설명할 수 있다.

공공부조의 특성	• 사회가 사회구성원 중 경쟁에 뒤쳐진 사람들의 질병, 노령 등의 생활위험에 대하여 재정자금 　으로 부조하여 최저생활을 보장 • 급여대상: 보험료를 지불할 능력이 없는 한정적인 국민계층을 대상으로 함 • 보장범위가 종합적으로 적용 • 조세를 통하여 재정을 확보하고 납세자의 부담에 의하여 비납세자의 생활을 보호 • 원칙적으로 필요성이 입증된 사람들에 한하여 지급하되 그 지급한도는 최저의 필요범위에 한정
행정 3-1-5 A항	공공부조를 설명할 수 있다

083

집락추출법	모집단의 구성단위를 우선 자연적으로 또는 인위적으로 몇 개 집락으로 구분한 다음 무작위로 필요한 집락을 추출하는 방법 ex 국민구강건강실태조사

통계 1-2-2 A항 표본추출을 설명할 수 있다.

084

지역사회치주요양 필요지수

• 한 삼분악에 지정치아가 2개인 경우 치주병이 가장 심한 치주조직 상태를 기록

지역사회 치주요양 필요지수	치주조직검사	치주요양 필요자
CPITN$_0$ 치주요양 불필요지수	건전 치주조직(0)	치주요양 불필요자(0)
CPITN$_1$ 치면세균막 관리 필요지수	출혈 치주조직(1)	치면세균막관리 필요자(1)
CPITN$_2$ 치면세마 필요지수	치석부착 치주조직(2)	치면세마 필요자(2)
	천치주낭형성 치주조직(3)	
CPITN$_3$ 치주조직병치료 필요지수	심치주낭형성 치주조직(4)	치주조직병치료 필요자(3)

통계 1-2-10 A항 지역사회치주요양 필요지수를 설명할 수 있다.

085

개인의 반점지수

• 개인의 각 치아의 반점치 점수 중 두 번째로 높은 것을 그 개인의 반점지수로 함
• 한 개의 반점치아만 갖고 있는 개인의 반점지수는 0

반점도별 치아평점기준		판정기준
0점	정상치아	법랑질이 정상적인 형태와 투명도 유지
0.5점	반점의문치아	• 투명도 약간 상실 • 직경 1~2 mm의 백반이 2~3개 존재 • 정상치아로 보기 곤란하고 경미도 반점치아라고 볼 수도 없는 치아
1점	경미도반점치아	백색 불투명한 반점이 치면의 25% 이내에 산재
2점	경도반점치아	불투명한 백색반점이 치면의 25%~50% 이내에 산재
3점	중등도반점치아	백색반점이 50~75%, 갈색소침착, 교모
4점	고도반점치아	백색반점 75% 이상, 법랑질 형성부전, 소와산재, 광범위 갈색소침착, 흑색 착색, 부식

통계 1-2-11 A항 반점치 검진지침을 설명할 수 있다.

086

우식경험영구치율 (DMFT rate)	・상실치아를 포함한 전체 피검치아수에 대한 우식경험 영구치의 백분율 ・우식경험영구치아수: 우식영구치아, 처치영구치아 및 상실영구치아를 합한 수치 $$DMFT\ rate = \frac{우식경험영구치아\ 수}{피검영구치아\ 수(상실치아\ 포함)} \times 100(\%)$$ Tip! 계산문제가 나온다!

통계 1-3-1 A항 영구치우식 산출지표를 설명할 수 있다.

087

보데카의 치면분류법	・모든 유치 – 5면 ・상악 제1,2 대구치 – 7면 ・인조치관장착치아(인공치)– 3면(우식된 것으로 간주) ・발거된 치아(상실치) – 3면

통계 1-3-1 A항 영구치우식 산출지표를 설명할 수 있다.

088

제1대구치 건강도

・4개의 제1대구치(#16, 26, 36, 46)를 평점
・최저 0점, 최고 40점

건전한 제1대구치		10점
상실치. 발거지시 제1대구치		0점
미처치 우식 제1대구치	1치면이 우식 이환	1점 감점
	2치면이 우식 이환	2점 감점
	3치면이 우식 이환	3점 감점
	4치면이 우식 이환	4점 감점
	5치면이 우식 이환	5점 감점
충전된 제1대구치	충전이 1치면에 국한	0.5점 감점
	충전이 2치면에 국한	1.0점 감점
	충전이 3치면에 국한	1.5점 감점
	충전이 4치면에 국한	2.0점 감점
	충전이 5치면에 국한	2.5점 감점
인조치관		7.5점(2.5점 감점)

・제1대구치 건강도 $= \dfrac{총\ 제1대구치\ 건강도\ 평점}{40} \times 100$

Tip! 계산문제가 나온다!

통계 1-3-3 A항 제1대구치 건강도를 산출할 수 있다.

우식치명률	• 전체 우식경험치아 중에서 우식으로 인한 상실치아와 발거대상우식치아의 백분율 • 우식치명률 = $\dfrac{\text{우식으로 인한 상실치 수 + 발거대상우식치 수}}{\text{우식경험치 수}} \times 100(\%)$

Tip! 계산문제가 나온다!

통계 1-3-5 A항	우식치명률을 산출할 수 있다.

구강환경지수 (OHI)	• 구강환경상태를 정량적으로 표시 • 구강환경지수 = 잔사지수(6점) + 치석지수(6점) • 모든 치아의 순면(협면), 설면을 조사 • 잔사지수(DI)

0점	음식물 잔사와 외인성 색소부착이 없는 경우
1점	음식물 잔사가 있거나 외인성 색소부착이 치면의 1/3 이하를 덮고 있는 경우
2점	음식물 잔사가 치면의 2/3 이하를 덮고 있는 경우
3점	음식물 잔사가 치면의 2/3 이상(3등분된 모든 부위)을 덮고 있는 경우

• 치석지수(CI)

0점	치석이 없는 경우
1점	치은연하치석은 없고 치은연상치석이 치경부측 1/3 정도에 존재
2점	치은연상치석이 치면의 2/3 이하로 존재하거나 치은연하치석이 점상으로 존재
3점	치은연상치석이 치면의 2/3 이상(3등분된 모든 부위)으로 존재하거나 치은연하치석이 환상으로 존재

Tip! 계산문제가 나온다!

행정 1-5-2 A항	구강환경지수를 산출할 수 있다

🔍 구강보건교육학(10문항)

성인기의 구강 특성	• 치아우식에 대한 감수성은 저하되고 치주병 발생이 증가되면서 치아상실이 발생 → 보철물 및 임플란트 장착에 따른 보철물 관리 필요 • 구강관리: 치면착색제, 식이분석일지, 구강 방사선사진, 위상차현미경 등 • 과민성 치아: 부드러운 강모칫솔 사용 • 보철물 관리: 구강위생용품 사용 • 임플란트 관리

교육 2-1-3 B항	생애주기에 알맞은 구강보건행동을 지도할 수 있다.

092

욕구(need)	개체의 행동을 일으키게 하는 개체 자체 내의 원인, 개체 내의 결핍이나 과잉에 의해 나타난 상태 (행동을 일으킬 수 있는 잠재적인 힘)
	Tip! • 동기: 행동의 방향과 수준 및 강도를 결정하는 목표추구 행동을 하게 하는 심리적 구조 • 유인: 행동의 목표나 대상이 되는 것 • 충동: 잠재적인 욕구를 행동 양식으로 이끌어 표현되게 하는 것
교육 2-2-2 A항	다음을 설명할 수 있다. 1) 욕구 2) 충동 3) 유인

093

구강진료실에서의 동기유발 과정	① 환자, 보호자 욕구 발생 → ② 욕구 확인 → ③ 동기유발인자 파악 → ④ 구강진료 및 구강보건 교육 계획수립과 수행 → ⑤ 계속관리 단계 • 욕구 확인: 욕구를 파악하여 빠른 조치 • 동기유발인자 파악: 환자의 정서적 상태, 사회 · 경제적인 면, 구강내 문제점과 구강보건 관련 지식, 현재 진료상태 및 구강건강 상태, 환자의 흥미와 관심도를 파악 • 구강진료 및 구강보건교육 계획수립과 수행: 정확한 구강검사를 하고 개인별로 적합한 계획 수립 및 구강진료, 구강보건교육 실시 • 계속관리: 환자의 동기유발이 지속되기 위해서 환자의 신뢰를 얻고 환자와 친밀한 관계를 맺도록 하여 계속관리
교육 9-1-4 A항	구강진료실에서의 동기유발과정을 설명할 수 있다.

094

교육목표의 작성원칙	• 각 목표마다 단일성과만을 기술 • 예상되는 성취도와 학생이 특정한 행동으로 그 성취도를 표시할 수 있도록 기술 • 목적을 달성하기 위한 구체적인 행동의 하나로 기술(변화된 행동을 내용으로 기술) 　ex 설명한다, 열거한다, 비교한다, 해석한다 등
교육 3-1-2 A항	대상자에게 알맞은 교육목표를 작성할 수 있다.

095

정신운동영역 (심리운동영역)	• 수기의 습득(시범) • 학습자가 학습한 후의 수기(skil) 변화를 추구하는 수준으로, 교육을 받은 후에 실기적인 내용을 직접 할 수 있어야 한다. 　ex 회전법으로 치아를 닦을 수 있다.
교육 3-2-1 A항	다음을 정의할 수 있다. 1) 지적 영역(인지적 영역) 2) 정의적 영역 3) 정신운동 영역(심리운동 영역)

096

교수법	• 강의: 단원의 도입이나 논제 소개에 적당
	• 토의: 학습자 개인이 해결할 수 없는 문제에 직면했을 때 여러 명이 서로 의견을 교환하고 함께 생각하여 문제를 해결할 수 있도록 도와주는 교육방법
	• 시범: 행동적 운동기능을 적용하는 학습목표 달성에 효과적
	• 견학: 구체적인 사실을 현장에서 직접 관찰
	• 상담: 효율적인 구강건강관리 방법을 증진시키거나 의사결정을 할 수 있도록 조언하는 것

교육 4-2-2 A항 다음의 교수법의 특성을 설명할 수 있다. 1) 강의 2) 토의 3) 시범실습 4) 상담

097

환자교육 프로그램 개발과정	교육대상자 선정→ 교육목적 설정 → 교육목표 설정 → 교육내용과 교육 프로그램 설계 → 교육자료 수집 및 정리 → 교육과정, 내용, 평가방법에 대한 의견교환 및 토의 후 결정 → 교육 수행 및 평가(의견교환 및 토의를 거쳐 교육 프로그램 통일)

교육 9-1-2 A항 진료실교육개발과정을 설명할 수 있다.

098

심포지엄	특정주제에 대해 권위 있는 2~5명 정도의 전문가가 각기 다른 의견을 발표한 후 이를 중심으로 사회자가 토의를 진행시키는 방법
	Tip!
	• 세미나: 참가자 모두가 토의주제 분야에 권위 있는 전문가나 연구가들로 구성된 소수집단 형태
	• 워크숍: 집단으로 사고하고 작업하여 문제를 해결하려는 교육방법
	• 버즈토의: 대규모 토의집단을 소집단 6명 정도로 나눈 다음 소집단끼리 토의
	• 브레인스토밍: 특정한 주제나 문제점에 대하여 학생들이 자기의 의견이나 아이디어를 자유롭게 제시하도록 하는 교육방법

교육 4-2-2 A항 다음의 교수법의 특성을 설명할 수 있다. 1) 강의 2) 토의 3) 시범실습 4) 상담

099

노인 구강보건교육 내용	• 구강의 중요성
	• 노년기 구강의 문제점
	• 치근우식증(정의, 원인, 진행): 불소함유 치약 사용
	• 치주병(정의, 원인, 진행)
	• 구강건조증(정의, 원인, 증상, 관리법)
	• 입냄새 관리법: 혀를 칫솔로 닦아 미각을 증진시키도록 교육
	• 치경부마모증
	• 구강관리법: 올바른 칫솔질, 치간칫솔 사용, 틀니사용 시 주의점, 음식조절, 정기구강검사, 치석 제거, 무자격자 치료금지, 금연

교육 11-4-4 A항 노인 구강보건교육의 내용을 설명할 수 있다.

교육유효도 평가	교육방법, 교육매체, 교육내용 구성 등의 교육과정 자체 요인을 평가함으로써 구강보건교육에 대한 판단을 내림 ex 회전법 칫솔질을 교육하기 위해 적절한 교육매체를 이용하였는가?
교육 12-1-2 A항	교육내용에 따른 구강보건교육평가방법을 설명할 수 있다.

🔍 예방치과처치(18문항)

구강병 관리의 원칙

	병원성기		질환기		회복기
	전구 병원성기	조기 병원성기	조기 질환기	진전 질환기	
	건강증진	특수방호	초기치료	기능감퇴제한	상실기능재활
	1차 예방		2차 예방	3차 예방	
	• 영양관리 • 구강보건교육 • 칫솔질 • 치간세정푼사질 • 생활체육	• 식이조절 • 불소복용 • 불소도포 • 치면열구전색 • 치면세마 • 교환기유치발거 • 부정교합 예방 • 전문가 치면세균 막관리 • 구취관리	• 초기 우식병소 충전 • 치은염치료 • 부정교합차단 • 정기구강검진	• 치수복조 • 치수절단 • 근관충전 • 진행우식병소충전 • 우식치관수복 • 치주조직병 치료 • 부정치열 교정 • 치아 발거	• 가공의치 보철 • 국부의치 보철 • 전부의치 보철 • 임플란트 보철

예치 1-4-3 A항	구강병 관리의 원칙을 설명할 수 있다.

치아우식 발생요인

지역사회 치주요양 필요지수	치주조직검사	치주요양 필요자

① 치아요인
• 치아의 성분
• 치아의 형태: 교합면 소와와 열구
• 치아의 위치와 배열
② 타액요인
• 타액의 유출량
• 타액의 점조도
• 타액의 수소이온농도지수(pH)
• 타액의 완충작용
• 타액의 항균작용
• 타액 성분 중 칼슘과 인산의 함량
③ 구강외 신체요인
• 종족과 민족성(생물학적 요인)
• 연령
	• 구강내 환경요인: 치면세균막
	• 구강외 환경요인
	  – 자연환경요인: 식음수 불소
	    이온농도
	  – 사회환경요인: 경제수준,
	    생활환경, 음식습관
		뮤탄스 연쇄상구균

예치 2-3-1 A항	치아우식병의 발생요인을 설명할 수 있다.

치아우식병의 예방법	숙주요인 제거법	치질내산성 증가법	불소복용법, 불소도포법
		세균침입로 차단법	치면열구전색법, 질산은 도포법
	환경요인 제거법	치면세균막관리법 (세치법)	칫솔질, 치간세정, 양치질, 껌 저작, 글루칸 분해효소
		음식물 관리법	우식성식품 금지, 청정식품 섭취
	병원체요인 제거법	당질분해 억제법	비타민 K 이용, Sarcosaid (사르코사이드) 이용
		세균증식 억제법	요소, 암모늄, 엽록소, 나이트로퓨란, 항생제 배합 세 치제 사용법

Tip! 각 예방법의 종류와 방법을 묻는 문제가 나온다!

예치 2-5-1 A항 치아우식병의 예방법을 설명할 수 있다.

치면세균막의 형성

획득피막 → 치면세균막 → 치석
① 치면세균막의 형성
• 획득피막에 다수의 미생물이 부착하는 단계로 치면착색을 통해 육안 관찰 가능
• 칫솔질 통해 관리 가능
② 미생물의 변화
• 24시간 경과 후: 연쇄상구균(80~90%), 호기성구균, 유산균 등의 간균
• 치면세균막의 두께가 증가
　– 심층일수록 혐기성 환경으로 변화, 혐기성의 사상균 증식
　– 세균총은 더욱 복잡해지는 동시에 급격히 두께가 증가
• 6~10일 경과 후: 그람음성혐기성 균이 증가 → 치아 표면에 세균의 집락화 → 성장, 유합

예치 3-1-1 A항 치면세균막의 형성 과정을 설명할 수 있다.

첨단칫솔

• 주로 치간에 사용되거나 교정용 bracket이나 wire 주위, 치은퇴축이나 치주수술 후 노출된
치근이개부, 치간유두가 소실되어 치간공극이 커진 부위 치면세균막 제거에 편리
• 최후방 구치의 원심면, 치아가 없는 부위에 인접한 치면, 고립된 치아닦기에 편리
• 작은 첨단칫솔은 임플란트 부위나 맹출 중인 치아, 치은연 부위의 치면세균막 제거에 유용

예치 5-3-1 A항 각 종류별 구강관리용품의 목적을 설명할 수 있다.

치실의 효과

• 치간 인접면의 치면세균막과 음식물 잔사 제거 및 치아 표면 연마
• 치간부위 우식 병소 및 치은연하치석 존재 유무 확인
• 수복물 변연의 부적합성 또는 치간 부위 과도 충전변연 검사
• 치간 유두의 마사지 효과 및 치은 출혈 감소
• 치간 부위 청결로 구취 감소

예치 5-3-1 A항 각 종류별 구강관리용품의 목적을 설명할 수 있다.

칫솔질 방법과 칫솔의 운동형태	• 수평왕복동작: 횡마법 • 진동동작: 바스법, 스틸맨법, 챠터스법 • 상·하쓸기동작: 회전법, 개량스틸맨법, 개량바스법, 개량챠터스법 • 원호동작: 폰즈법(묘원법) • 압박동작: 와타나베법

예치 6-2-1 A항　칫솔질의 운동형태를 설명할 수 있다.

구강환경관리 능력지수	• 6개 치아를 대상으로 각각 1개 치면을 검사한다. • 1개 치면을 5등분으로 나누어 평가한다. • 최하 0점, 최고치는 5점

평균 치면세균막지수	판정
0~1 미만	관리가 잘 된 상태
1~2 미만	보통
2~3 미만	불량
3 이상	매우 불량

예치 6-3-3 A항　구강환경관리능력지수(PHP Index)를 설명할 수 있다.

챠터스법	• 강모단면이 교합면 쪽을 향해 역으로 45°되게 칫솔강모를 위치시키거나, 치아 장축에 직각이 되도록 치경부에 위치시킨 다음, 원호운동으로 짧은 진동을 주어 치아 표면과 치간 및 인접면, 인공치아의 기저부 등의 치면세균막을 제거하는 방법 • 효과 　– 치간청결: 특히 인접면이나 인공치아 기저부에 효과적(임플란트 부위에 권장) 　– 치은자극: 고정성보철물 주위조직에 마사지 효과 • 장점 　– 치간과 인접면의 치면세균막 제거 효과가 큼 　– 인공치아 기저부의 치면세균막 제거효과가 큼 　– 고정성보철물 주위 치주조직에 대한 마사지 효과가 큼 • 단점 　– 실천하기가 힘듦 　– 잘못 시행 시 잇몸에 손상을 줌

예치 6-2-3 A항　종류별 칫솔질 방법을 설명할 수 있다.

110

불소겔 도포방법	• 도포 시 진료의자를 바로 세우도록 한다. • 불소용액이나 겔은 필요한 만큼 정확한 양을 사용한다. • 인접면은 무왁스 치실을 이용하여 미리 도포한다. • 타액흡입기를 사용한다. • 불소도포가 끝난 후 타액, 이물질, 거즈, 면봉 등을 구강 내에서 깨끗이 제거해 준다. • 여분의 불소 겔은 면구로 이용하여 깨끗하게 닦아준다.
예치 9-5-1 A항	불소국소도포 시 주의사항을 열거할 수 있다.

111

전색(sealing)	• 우식이 없는 건전치질의 열구와 소와를 치질의 삭제 없이 전색재로 미리 메워주는 예방처치술식 • 넓이는 좁게하고 가능한 보조열구까지 시행 **Tip! 충전(filling)** 우식이 진행된 치질을 삭제하고 와동을 형성하여 충전재를 와동 속에 채워 넣는 치과치료술식
예치 10-1-3 A항	충전과 전색의 차이를 설명할 수 있다.

112

전색재 유지의
요구조건
	• 전색재와 치아 표면과의 접촉면적을 증가시킴
	  – 산부식을 시행하여 치질을 제거하여 전색재와의 접촉면적을 증가
	  – 만일 전색재가 탈락되었더라도 법랑질 표면에 남겨진 전색재의 tag로 인해 법랑소주의
	    입구를 봉인되어 우식병이 덜 발생하는 효과
	• 치면에 존재하는 소와나 열구는 깊고 불규칙 하고, 좁을수록 전색재의 유지에 유리함
	• 법랑질 표면이 청결해야 함 → 치면세마, 과산화수소 스폰지, 공기연마 등 시행
	• 전색재를 도포할 치면은 철저히 건조되어 있어야 함
	• 전색재의 교합은 약간 낮게 함

예치 10-6-3 A항	전색재 유지의 요구조건을 설명할 수 있다.

113

식품의 치아우식
유발지수
	• 치아우식유발지수: 식품 중 당성분의 함량과 음식의 치아에 대한 점착도를 측정하여 일정공식
	  으로 계산해낸 값 → 치아우식유발지수 = 당도 + 점착도
	  – 식품의 전당량: 음식에 함유된 당분의 양
	  – 식품의 점착도: 같은 양의 당질을 함유하더라도 점착도가 높은 음식은 치아우식병을 증가시킴

예치 11-2-2 A항	식품의 치아우식 유발지수를 설명할 수 있다.

식이조절과정	① 식이조사: 조사 대상자의 모든 식습관 파악 위해 5일 간 식생활 일지 작성하게 하는 방법(반드시 주말이 포함, 모든 음식물 기록함, 음식섭취량은 가정용 도량형 단위로 표시, 조리방식 기록) ② 식이분석: 5일 간 식생활 일지 바탕으로 섭취한 음식의 종류, 빈도, 성상 등을 조사 분석하는 과정 • 1단계: 모든 우식성 식품 빨간색으로 표시 • 2단계: 우식성 식품의 성상, 섭취시기 분류, 5일 중 우식 발생 가능시간 산출 • 3단계: 시기별로 청정식품 섭취시기 분석 • 4단계: 기초식품의 섭취실태 분석 ③ 식단상담: 환자의 식이조사 및 분석이 끝난 후 결과를 가지고 환자와 의견을 나누는 과정 • 치아우식 병소의 확인 • 치아우식발생에 작용한 불량 식이습관을 지적 • 불량 식습관 형성 원인을 검토 • 식단처방의 방향을 설명 ④ 식단처방: 식이조사, 식이분석, 식단상담 등의 세 단계에 수집한 자료를 토대로 환자에게 권고할 식단을 처방하는 과정 • 1단계: 대상자의 일부 섭취습관을 칭찬 • 2단계: 기초식품군별로 식단을 개선하도록 도움 • 3단계: 우식성 식품을 제거, 섭식시간 지정 • 4단계: 비우식성 식품을 간식으로 섭취하도록 권장 • 5단계: 대상자가 개선된 식단을 작성하도록 함

예치 11-4-4 A항	식이조절 과정을 설명할 수 있다.

타액완충능 검사	• 타액완충능: 타액에 산을 첨가함에 따라 생기는 산도(ph)의 변화에 저항하는 능력(타액완충능이 약한 경우 치아우식병 빈발) • 검사과정 　a. 무가향 파라핀 왁스를 저작하여 자극성 타액을 채취한 다음 2 ㎖를 시험관에 넣는다. 　b. bromocresol green과 bromocresol purple을 동량으로 혼합한 지시약 3방울을 2 ㎖ 타액이 든 시험관에 넣는다. 　c. pH 5.0이 될 때까지 0.1 N 유산용액을 떨어뜨린다. 　d. 떨어뜨린 유산용액의 방울수를 기록한다. 　e. (a)~(d)의 4단계의 과정을 반복한다. 　f. 타액의 완충능 값을 두 번 측정한 후 평균 방울수를 구한다.

타액완충능	판정기준
매우부족	6방울 미만
부족	6~10방울 미만
충분	10~14방울 미만
매우충분	14방울 이상

TIP!
• 타액점조도 검사: 자극성 타액 2 ㎖를 오스왈드 파이펫으로 측정 → 비교점조도가 2.0 이상일 때 주의
• 타액분비율 검사: 파라핀왁스 저작하여 자극성 타액 수집(13.8 ㎖/5min) → 자극성 타액이 8.0 ㎖/5min 이하일 때는 주의
• 포도당잔류시간: Tes-tape에 3분 간격으로 타액을 접촉

예치 12-2-3 A항	타액완충능 검사를 설명할 수 있다.

| 타액점조도 검사 | • 타액의 점조도 높을수록 구강내 자정효과↓, 치아우식병 발생 가능성↑
• 검사과정
  a. 오스왈드 파이펫 bulb 상단에 고무관을 삽입한다.
  b. 2 ㎖의 자극성 타액을 채취한 즉시 오스왈드 파이펫에 넣는다.
  c. 타액을 bulb의 윗 눈금과 아랫 눈금 사이에 위치하도록 한다.
  d. 타액 자체의 중량으로 모세관을 따라 흘러내리도록 한다.
  e. 2 ㎖의 타액이 흐르는데 소요되는 시간을 측정한다(시간단위: 초).
  f. 증류수도 같은 양으로 주입하여 동일한 방법으로 측정한다.
  g. 타액의 절대 점조도를 증류수의 절대점조도로 나누어 타액의 비점조도를 계산한다.
• 판정
  a. 자극성 타액의 평균비교점조도(by mercer): 1.3~1.4 → <u>비교점조도가 2.0 이상일 때 주의</u>
  b. 타액의 비교점조도는 항히스타민제 복용, 사탕, 다른 종류의 당질을 다량으로 자주 섭취 시
    증가
  c. 타액의 점조도는 연령과는 무관
  d. <u>점조도가 높은 사람</u> → 항히스타민제를 복용하는 사람을 제외하고는 정제된 당질의 섭취를
    제한, 구강환경관리 철저히, 식사 전에 필로칼핀 복용 → 타액분비율 증가, 타액점조도 낮춤

TIP!
• 타액완충능 검사: 6~10방울 미만(부족) → 탄산소다로 일시적 보충
• 포도당잔류시간: 15분 이상 시 → 부착성 당질의 섭취 제한 |

| **예치 12-2-2 A항** | 타액점조도 검사를 설명할 수 있다. |

| 구취관리법 | ① 자가 치료
• 칫솔질: 구강 청결히 하는 가장 기본적인 방법, 매 식후와 취침 전에 시행
• 중탄산나트륨 세치제 선택: 2.5% bicarbonate 세치제는 휘발성 유황화합물을 감소시키는 데
  효과적
• 혀솔질(설태 제거): 설배면 후방부의 설태 제거, 혀세정기 이용
• 구강관리보조용품 사용: 치실, 치간칫솔 이용해 치면세균막 관리
• 구강세정제 사용
② 전문가 치료
• 항균성 양치액: 진료실에서 세균 검사 후 처방
  – 0.2% chlorhexidine, mycostain, listerine, twophase oil water, ZnCl2
• 초음파 치석제거기를 이용한 혀 세정: 치석제거기 끝을 한 곳에 고정시키지 말고 계속 움직여
  야 하며 충분히 물 뿌리며 시행
• 치석제거를 비롯한 치주치료 시행: 스케일링, 치주치료, 구취환자 중에 치주상태가 좋지 않은
  경우에 시행
• 보존치료: <u>치아우식병 있는 치아는 적절한 보존치료 시행</u>
• 보철치료: 오래된 보철물과 불량한 보철물 치료
• 절개와 배농 |

| **예치 13-1-4 A항** | 구취의 관리법을 설명할 수 있다. |

불소 도포 대상	• 우식발생 가능성이 높은 아동
	• 우식이 다수 발생된 아동
	• 교정치료 예정 또는 교정치료 중인 자
	• 교정장치 제거 후
	• 보철물 장착 예정자
	• 치근우식발생 가능성이 높은 노년기
	TIP!
	• 치경부 마모증, 치근우식병이 있는 경우: 불화석 반복 도포, 글래스아이오노머 시멘트 충전 및 전색, 합성수지 충전

예치 9-2-3 A항	불화물 종류에 따른 도포대상을 설명할 수 있다.

🔍 치면세마론(20문항)

치면세마	구강병을 예방할 목적으로 구강 내의 자연치아나 인공치아에 부착된 경성, 연성 침착물을 물리적으로 제거하고, 치아표면을 활택하게 연마함으로써 재부착을 방지할 목적으로 실시하는 예방술식
	TIP!
	• 치주소파: 치은연하 및 치은열구 내애 존재하는 염증성 상피조직 및 결합조직을 제거하는 것
	• 치석제거: 모든 치아표면의 접합상피 상부에 있는 치면세균막과 치석을 제거하는 것
	• 치근활택: 치근에 남아있는 부착물과 괴사되거나 미생물에 감염된 백악질을 제거하는 것
	• 치은절제: 치주낭을 이루고 있는 병적인 치은조직을 절제하여 치주낭을 제거하는 것

치세 1-1-1 A항	전색재 유지의 요구조건을 설명할 수 있다.

치면세마 난이도 분류	• Class C : 12세 이하의 어린이 환자
	• Class I: 치은연에 가벼운 착색, 치면세균막이 있음, 하악 전치부 설면과 상악 구치부 협면에 치은연상치석이 있는 환자
	• Class Ⅱ : 중등도의 치면착색, 치면세균막이 있음, 치아 1/2 이하의 치은연상과 치은연하에 치석이 있는 환자
	• Class Ⅲ: 다량의 착색과 치면세균막이 있음, 치아 1/2 이상의 치은연상치석과 심한 치은연하치석이 있으며 veneer subgingival calculus가 생긴 환자
	• Class Ⅳ : 다량의 착색 및 세균막, 치아 1/2 이상의 치은연상치석과 심한 치은연하치석, 베니어형 치은연하치석 존재, 깊은 치주낭(5mm 이상)으로 치아동요가 있는 환자
	• Class Ⅳ: 심한 착색, 치아 1/2 이상의 베니어형 치은연하치석 존재, 치근분지부 치석 존재, 깊은 치주낭(5 mm 이상) 및 치아동요

치세 1-1-4 A항	치면세마 시 고려해야 할 대상자와 난이도를 분류할 수 있다.

| 치은연상치석 | • 치면을 건조시켜야 확인하기 쉽다. |

구분	치은연상치석	치은연하치석
관찰	기구 사용	기구 이용, 투조, 방사선사진
형성 과정	타액성	치은열구내 삼출액, 조직액
위치	유리치은연 상방	유리치은연 하방
색깔	백, 황색	흑, 갈색
치밀도	쉽게 부서지고 점토상	단단하고 부싯돌 같음
분포	하악 전치부 설면, 상악 구치부 협면 (타액선 개구부위에 형성)	전 치은연 하방이나 하악 전치부

치세 2-2-1 A항 치은연상치석에 대하여 설명할 수 있다.

| 치면착색 | • 황색착색: 나이에 관계없이 구강관리가 소홀한 경우
• 녹색착색: 주로 구강위생이 불량한 어린이
• 갈색착색: 단순히 물로만 칫솔질을 하는 사람
• 주홍색착색: 색소성 세균에 의해 발생
• 흑색선착색: 비교적 깨끗한 구강 내에서 발생 |

치세 2-3-1 A항 치면착색물 종류를 설명할 수 있다.

치과 차팅 기호	*건강하거나 치료된 상태: Blue or black color / 병적인 상태: Red color • △ – 파란색: Semi-eruption tooth(부분맹출) • ○=○ – 파란색: Fixed bridge(가공의치) • ↑, ↓ – 붉은색: Food impaction(식편압입) • ///// – 붉은색: Attrition(교모) •)(– 붉은색: Cervical abrasion(치경부마모)
	Tip! 사례를 제시하고 차팅기호를 선택하는 문제가 나온다!

치세 4-3-2 A항 구강내 상태에 따라 색상별로 작성된 치과진료기록 기호(Charting Key)를 구분할 수 있다.

술자의 자세	① 머리와 목은 똑바로 세우며, 머리를 전방으로 20° 이상 구부리지 않도록 함
	② 시술자의 눈과 환자 구강과의 거리는 35~40 cm를 유지하도록 함
	③ 등과 가슴은 곧게 펴서 20° 이상 구부리는 것을 피하도록 함
	④ 등은 의자 시트와 100° 정도 되도록 앉음
	⑤ 어깨가 한쪽으로 올라가거나 기울어지지 않도록 주의
	⑥ 상완부는 몸의 측면에서 20° 이내로 가까이 붙인 상태를 유지하도록 함
	⑦ 전완부는 가능한 바닥과 평행하게 하며 상완과 전완이 이루는 각도는 60~100° 이내가 되도록 함
	⑧ 손가락과 손목, 전완은 일직선이 되게 하며 손목이 굴곡되거나 연장되지 않도록 주의
	⑨ 대퇴부는 바닥과 평행하게 하며 발바닥 전체는 바닥에 닿도록 함
	⑩ 다리는 7시 방향에서는 양다리를 붙여 등받이와 나란히 놓고, 10시 30분 방향에서는 다리를 벌려 등받이 양쪽으로 놓으며, 12시 방향에서도 양다리를 벌려 등받이 양쪽으로 놓음

치세 8-1-2 A항 술자의 자세를 설명할 수 있다. (A)

치주기구의 연결부(shank)	• 직선형: 전치부에 주로 사용
	• 굴곡형: 구치부에 주로 사용
	• 작업부(working end): 침착물을 제거할 때 사용
	• 복합형: 구치부의 인접면과 깊은 치주낭에 사용
	• 길이가 짧은 연결부는 주로 전치부에 사용

치세 7-2-13 A항 일반큐렛(Universal Curette)의 특징을 설명할 수 있다.

치석제거기구별 비교	기구	절단연 수	단면도
	file	여러 개	직사각형
	hoe	1	직사각형
	sickle	2	삼각형
	chisel	1	직사각형
	gracey curette	1	반원형
	분포	하악 전치부 설면, 상악 구치부 협면 (타액선 개구부위에 형성)	전 치은연 하방이나 하악 전치부

치세 7-2-11 A항 Sickle Scaler의 특징을 설명할 수 있다.

탐침 사용법	• 탐침을 변형 연필잡기법으로 잡고 해당치아 또는 인접치아에 손고정
	• 올바른 작동부 결정
	• 적합(adaptation): 유리치은연 위 치면에 탐침 tip의 측면이 닿도록 위치
	• 삽입(insertion)
	  – Tip의 측면을 치면에 적합시킨 상태에서 tip의 back 부위가 접합상피에 도달하도록 치아장축 방향으로 기구를 가볍게 잡고 천천히 삽입
	  – 삽입각도는 0∼15°에 가깝도록 함, 경도 이하의 압력
	• 탐지동작(exploratory stroke)
	  – 기구를 가볍게 잡고 pull과 push 동작으로 중첩하면서 근심 또는 원심능각부위까지 탐지
	  – 구치부: 원심능각부위 → 중앙부위 → 근심능각부위 → 근심면 col 부위 → 다시 원심능각부위에서 원심면 col 부위까지 탐지
	  – Tip의 측면은 항상 치아와 접촉: 치주조직의 외상 방지

치세 7-2-4 A항	탐침의 용도에 대하여 설명할 수 있다.

임상적 부착소실	• 임상적 부착소실: 치주낭 깊이 + 치은퇴축
치세 7-2-8 A항	치주탐침의 용도에 대하여 설명할 수 있다.

고(가)압증기 멸균기	• Steam을 이용하여 그 습열로 모든 형태의 미생물을 파괴하는 방법 • 끓는 물이 증기압을 만들고 수증기를 배출하여 시간이 경과함에 따라 온도와 압력에 의해 박테리아나 spore를 파괴 • 침투력 우수 • 다공성 재질의 면제품, 금속(외과기구, 치주수술기구 등), 화학용액과 배지의 멸균에 적합 • 열에 약한 제품은 제외(합성수지), 기구의 날이 무디어지거나 부식 위험
	Tip! • 건열멸균법: oil, powder, 근관치료용 기구, blade, scissor, surgical needle 등의 날카로운 기구 멸균에 적합 • 자비소독법: 예리한 날이 없는 기구, 외과용 기구, needle, impression tray, glass slab 등의 소독에 적합 • 고온기름소독법: chisel scalpel등 예리한 기구, contra angle, 치면세마용 angle 등의 소독에 적합적합 • 불포화 화학증기멸균법: 핸드피스, 각종 bur, 근관ㄴ치료용 기구, 교정용 기구 등의 멸균에 적합
치세 6-2-2 A항	고(가)압증기멸균법에 대하여 설명할 수 있다.

130

사용한 기구의 처리과정	• 세척 전 용액에 담금(페놀화합물, 아이오도포): 멸균 및 소독과정 이전에 많은 미생물의 수를 줄일 수 있음 • 세척: 멸균 또는 소독 과정에 앞서 이루어져야 할 필수단계 • 건조: 기구의 부식 방지 • 포장: 멸균상태를 일정 기간 유지하기 위해 단위별로 기구를 포장 • 멸균: 멸균 포장재 표면에 멸균 지시 테이프를 붙이고 유효 보관기간을 적은 후 멸균 • 멸균된 기구 보관 및 관리: 멸균된 기구는 1개월 안에 사용
치세 6-3-1 A항	사용한 기구의 관리과정을 설명할 수 있다.

131

상악우측 구치부 협면 치면세마법	• 환자를 supine position으로 앉힘 • 상악 전치부 순면이 바닥과 평행하게 한다. • 상악치아의 교합면이 바닥과 수직상태에서 환자의 머리는 왼쪽으로 약간 기울이게 함 • 7~8시 방향에서 실시 • 변형 연필잡기법으로 기구를 잡고, 시술받는 치아나 그 인접 전방치아의 교합면 또는 설면에 손고정(※ 상악우측 견치 절단 1/3에도 손고정할 수 있음) • 치경을 이용하여 협점막을 격리하여 시야를 넓히도록 함 • 환자의 입을 너무 크게 벌리지 않도록 하고, 치경으로 협점막을 격리시킬 때 너무 큰 압력을 가해 환자에게 고통을 주지 않도록 함
치세 8-3-10 A항	상악우측 구치부 협면 치면세마법을 설명할 수 있다.

132

치근활택술 적응증	• 초기 치은염 및 얕은 치주낭 • 외과적 처치의 전처치 • 내과병력을 가진 전신질환자 • 진행성 치주염 • 유지관리 처치
치세 8-4-2 A항	치근활택술 시 적응증을 설명할 수 있다.

초음파 치석제거 시 장점	• 조직에 상처를 적게 주기 때문에 치유속도가 빠름 • 변형 개발된 가는 직경의 tip은 치근면에 접근성이 좋음 • 정확하고 강한 손고정을 요구하지 않음 • 기포의 분무(공동현상)는 항세균 효과를 기여 • 물분사로 인해 치석잔사나 괴사조직이 세척되므로 시야확보가 좋음 *분무상태의 물 때문에 치경 사용은 어려움 • 시술시간 단축 → 시술자 피로도 감소, 환자의 편안함 증가 • 항균제 투여가능 • 큰 치석과 과도한 침착물 제거에 용이 • 치주낭과 치근면의 치면세균막 파괴와 제거에 효과적 • 음향난류로 항세균 효과를 기여
치세 9-1-3 A항	초음파 치석제거 시 장점을 설명할 수 있다.

초음파치석제거기 사용순서	• 변형 연필잡기법으로 기구를 잡고 수기구와 같이 손고정을 하고 흡입기로 고인 물을 빨아들임 • 치아의 외형과 일치하도록 치면에 15° 이내의 각도로 적용시키고 침착물 위를 tip의 측면이 약한 압력으로 지나가도록 함 • Tip은 일정한 속력으로 작동해야 하며 한 부위에 오래 머물면 치면이 손상되므로 주의해야 함 • 주기적으로 foot 페달에서 발을 떼어 물과 잔사를 철저히 흡입해야 함
치세 9-2-2 A항	초음파 치석제거기의 사용순서를 설명할 수 있다.

엔진연마	• On-off method: 각 치면을 6등분하여 rubber cup을 직각으로 접합하여 foot controller로 속도를
	  조절하여 압력을 가하면서 치아에 붙였다 떼었다 하는 동작을 반복하여 연마하는 방법
	• 러버컵은 치은열구 약 1mm 정도의 치면에 도달하게 하여 사용
	• Painting method: 각 치면을 3등분하여 적절한 속도와 압력으로 치은변연에서 교합면까지 페인팅
	  하듯이 연마하는 방법
	• 치주낭이 깊은 환자는 금기

치세 10-2-5 B항	엔진연마 시(Motor driven polishing) 준비물을 나열할 수 있다.

기구의 작업단
(working end)
	• Working end의 수
	  – 작업단은 손잡이 한쪽에만 있는 것과 양쪽 모두 있는 것으로 나누어짐
	  – 한쪽에만 있는 것: Gracy curet, hoe scaler, chisel scaler
	  – 양쪽 모두 있는 것: Sickle scaler, universal curet, file scaler
	• Working end 단면의 특징
	  – Sickle scaler: 삼각형
	  – Curette scaler: 반원형
	  – Hoe, file, chisel scaler: 장방형, 직사각형
	  – Explorer, periodontal probe: 원통형
	• Working end point의 특징
	  – 작동부의 예리한 끝을 말함
	  – Explorer의 point는 주로 탈회된 치아나 우식치아 발견할 때, 충전물의 결함여부를 탐지할 때 사용

치세 7-1-2 A항	각 기구의 작업단(Working End)의 특징을 설명할 수 있다.

기구연마	• 치면세마 후 필요할 때 실시 • 연마석을 약간 경사지게 함 • 기구날의 내면과 연마석: 100~110° • 날의 상방 1/3(heel third) 부위부터 연마(heel → middle → tip) • 기구고정법인 경우 마지막은 하방동작으로 끝냄 • 무딘 기구의 윤곽을 형성할 때는 인공석을 사용

치세 11-2-3 A항	기구연마의 방법을 설명할 수 있다.

노인환자의 치면세마	• 시술시간은 가능한 짧게 함(가급적 오전) • 전신질환이 있을 가능성 높음 → 시술 전 반드시 전신건강상태 파악 • 시술 시 수시로 환자 관찰 • 얼굴을 가까이 하고 대화를 나누는 것이 좋음: 대화의 부적응이나 자신감 상실로 의사전달 어려운 경우가 많음 • 치근이 노출되어 있는 경우 많음: 치석제거 시 치근이 시리지 않도록 기구조작 시 주의 • 크고 단단한 치석이 부착되어 있는 경우 많음: 과도한 힘은 피하고 치석을 여러 조각으로 나누어 제거 • 치석 제거 후 치간사이가 넓어진 것 같은 느낌이 들 수 있으므로 시술 전에 미리 시술 후에 나타날 수 있는 현상에 대해 환자에게 교육하여 불안과 걱정을 덜어줌 • 잔존치 관리의 중요성에 대해 교육

치세 12-1-2 A항	노인의 치면세마 시 고려사항을 설명할 수 있다.

139

엑스선과 가시광선의 공통점 VS 차이점	X선과 가시광선의 같은 점	X선과 가시광선의 다른 점
	• 직진함 • 초당 약 30만 km를 전파함 • 전기장이나 자기장에 의해 굴절되지 않음 • X선 필름에 대한 감광작용이 있음 • 유사한 방법으로 물체의 음영을 투사함	• 눈에 보이지 않음 • 파장이 극히 짧기 때문에 물질을 투과할 수 있음 • 특정한 화학물질과 작용하여 형광을 발생시킬 수 있음 • 원자를 전리시킬 수 있음

방사선 1-1-7 A항　엑스선의 성질에 대해 설명할 수 있다.

140

저지(제동)방사선의 발생	• 전자가 텅스텐 원자핵과 정면 충돌하여 전자의 모든 에너지가 X선 에너지로 변환 → 고에너지 X선 발생 • 전자가 텡스텐 원자핵 근처를 통과할 때 핵의 인력으로 본래의 진행방향에서 편향되어 감속되므로 에너지를 잃음 → 저에너지 X선 발생 • 치과용 X선 촬영기에서 발생되는 대부분의 X선 • 연속적인 스펙트럼 형성

방사선 1-2-12 A항　저지(제동)방사선의 발생에 대해 설명할 수 있다.

141

엑스선관의 구성	• 집속컵: 열전자를 모아줌 • 유리관: X선관 진공상태 유지 • 초점: X선 발생 • 구리동체: 열분산 • 필라멘트: 전자의 공급원

방사선 1-2-1 A항　엑스선관의 구성에 대해 설명할 수 있다.

142

여과기	• 환자의 노출량을 줄이기 위해 투과력이 낮은 장파장의 X선 광자를 제거하여 X선의 평균에너지를 증가시키고, 파장을 균일하게 함 • 2차 방사선인 산란선 발생 • 총여과 = 고유여과 + 부가여과 　– 고유여과: 타겟 자체, X선관의 유리관, 절연유, 조사창 등 　– 부가여과: 알루미늄 • 관전압에 따른 알루미늄 두께: 구내방사선 촬영기의 경우 70 kVp까지는 1.5 mm 두께, 그 이상은 2.5 mm 두께 사용

방사선 1-2-7 A항　여과기에 대해 설명할 수 있다.

제어판의
구성과 기능
	• 관전압 조절기
	  – 텅스텐코일에서 타겟으로 운동하는 전자들의 속도를 조절
	  – X선의 질 결정
	  – 관전압 증가 시 전자의 평균에너지와 최대에너지가 증가되고 속도가 빨라지며 조직의 투과력을 증가시킴
	• 관전류 조절기
	  – 텅스텐 필라멘트의 온도를 조절하여 전자의 수 조절 → X선의 양 결정
	  – 관전류 증가 시 타겟에 충돌하는 전자수 증가
	• 타이머
	  – X선 노출시간을 조절하는 장치
	  – <u>노출시간: X선이 발생되는 동안의 시간(X선 양만 조절)</u>
	  <u>*노출시간을 증가시킬 때 X선의 양 증가</u>

방사선 1-2-10 A항	제어판의 구성과 기능을 설명할 수 있다.

선예도에 영향을
주는 요인
	① 기하학적인 불선예도(주요인: 반음영)
	• <u>반음영 감소시키는 방법 → 선예도 증가</u>
	  – 초점크기 작게 함
	  – 필름과 피사체 사이의 거리 감소
	  – 초점과 피사체 사이의 거리 증가
	② 움직임에 의한 불선예도
	• 환자, 필름, 관구가 움직임
	• 노출시간을 짧게 하여 움직임에 의한 불선예도를 감소
	③ 상수용기에 의한 불선예도
	• 양면에 감광유제를 도포한 필름을 사용한 경우 양쪽 감광유제에 맺히는 상에 차이 발생
	• 증감지를 사용하면 증감지에 의해 빛이 확산되어 더 많이 발생 → 증감지와 필름을 가능한 밀착
	• 필름의 할로겐화는 결정의 크기: 은입자의 크기가 작을수록 상의 선예도 증가

방사선 3-2-6 A항	선예도에 영향을 주는 요인을 설명할 수 있다.

선예도	• 물체의 외형을 정확하게 재현할 수 있는 능력 • <u>사진상 관찰되는 구조물의 경계를 구분할 수 있는 능력</u>

방사선 3-2-5 A항	선예도를 정의할 수 있다.

방사선 불투과성 구조물	분류		방사선 투과성	방사선 불투과성
	상악	절치부	절치공, 정중구개봉합, 비와, 영양관	비중격, 전비극
		견치부	상악동	역Y자
		소구치부	상악동	관골 전방부위
		대구치부	상악동의 후방 경계	관골돌기, 관골궁, 상악결절, 구상돌기, 하악의 근돌기
	하악	절치부	설공, 영양관	이극, 하악의 하연, 이융선
		견치부	–	이융선
		소구치부	이공	하악의 하연
		대구치부	하악관, 영양관	하악의 하연, 외사선, 내사선, 악설골융선

방사선 5-1-6 A항 하악의 방사선 불투과성 구조물을 구강영상에서 식별할 수 있다.

상악 견치부에 나타나는 구조물	• 역Y자: 상악동의 전내벽 + 비와의 측벽, 방사선 불투과상 • 상악동: 방사선 투과성 • 비와: 방사선 투과성 • 상악동 전내벽: 방사선 불투과상

방사선 5-1-4 A항 상악의 방사선 불투과성 구조물을 구강영상에서 식별할 수 있다.

교익촬영의 목적	• 초기 인접면 치아우식증 및 재발성 치아우식증 검사 • 초기 치주질환의 치조정 변화 검사 • 상·하악 치아의 교합관계 검사 • 치수강의 검사 • 치아우식증의 치수 접근도 검사 • 충전물의 적합도 검사

방사선 4-4-1 A항 교익촬영의 목적을 설명할 수 있다.

149

상악 절치부 등각촬영법	• 환자의 두부고정: 정중시상면은 바닥평면과 수직, 교합면은 바닥과 평행
	  (상악: 비익–이주 연결선이 바닥과 평행, 하악: 구각–이주 연결선이 바닥과 평행)
	• 중절치 사이 접촉점이 필름 중앙에 오도록 위치
	• 필름 세로로 위치
	• 필름하연이 절단면과 평행, 3 mm 여유
	• 중심선: 비첨(코끝)
	• 조사각도
	  – 수직각도: + 45°
	  – 수평각도: 정중선 또는 중절치 인접면에 평행(0°)

방사선 4-3-2 A항	상악의 등각촬영법을 설명할 수 있다.

150

소아환자의 촬영법	• 소아촬영법은 성인과 동일
	• 고감광도 필름 사용
	• 치근단 촬영을 하는 경우 소아는 악궁이 작기 때문에 필름유지기구 사용이 어려움 → 등각 촬영
	• 성인필름사용 시 수직각도 증가시킴
	• 방사선 노출량이 성인에 비해 감소
	  – 10세 이하: 성인의 50% X선 노출을 줄임
	  – 10~15세: 성인의 25% X선 노출을 줄임
	• 소아는 구강에서 생식기까지 거리가 짧고 이온화 방사선에 매우 민감
	  → 갑상선보호대가 부착된 납방어복 착용

방사선 4-10-3 A항	소아 환자의 촬영법에 대해 설명할 수 있다.

151

전악구내촬영법과 파노라마촬영의 비교	• 촬영시간 및 현상시간은 전악구내촬영법이 더 소요됨 • 파노라마촬영법은 악골 골절, 개구장애 등 구내촬영이 어려운 경우 가능 • 전악구내촬영법은 움직임을 스스로 통제하지 못하거나 대화 소통이 어려운 소아 환자 등의 경우는 구내촬영이 유리 • 방사선노출량은 파노라마촬영법이 적음 • 파노라마촬영법은 해상도가 낮기 때문에 관찰이 어려운 부위를 자세히 관찰하기 위해서는 추가적으로 구내촬영법 시행 • 파노라마촬영법은 비교적 표준화된 영상을 얻을 수 있고, 촬영 술식이 간단하여 집단검사에 유용
방사선 4-8-7 A항	전악구내촬영과 파노라마촬영을 비교할 수 있다.

직각촬영법	• 구내용 필름 2장을 서로 직각방향으로 촬영, 피사체의 협설 위치 관계를 평가하는 방법
	  – 첫 번째 촬영(평행촬영): 필름은 치아의 장축과 평행하게 위치되어야 하며, 필름의 전연은 제1대구치의 근심을 넘어서는 안 됨
	  – 두 번째 촬영(절단면 교합촬영): 필름 전연이 제1대구치의 전방부를 넘지 않도록 하고, 필름 후연은 후구치 삼각 부위가 포함되도록 하면서 필름은 교합면 위에 위치
	• 하악 지치(제3대구치) 부위에서 좀 더 확실한 정보가 필요한 경우 사용
	  – 주로 하악골 부위에서 사용
	  – 상악골 부위에서는 두개골의 구조물이 중복되어 촬영되므로 관심있는 부위가 가려짐

방사선 4-6-2 A항	직각촬영법에 대해 설명할 수 있다.

직접 디지털영상 획득장치	• 주로 플라스틱 재질로 둘러싸여 외부 충격으로부터 보호 • 촬영 후 바로 영상조회 • 두께로 인한 이물감 • 센서와 전선 사이의 연결부위 취약
방사선 4-11-2 A항	디지털영상 획득장치를 비교할 수 있다.

부정확한 수평각	• 인접면 중첩 • 중심선이 인접면에 평행하게 조사되지 않으면 치아의 인접면이 중첩 → 인접면 우식 확인 불가능 • 개선: 치아의 인접면에 평행하게 조사
방사선 4-7-3 A항	조사각도에 따른 오류를 설명할 수 있다.

파노라마촬영에서의 오류	① 환자준비 오류 • 허상: 촬영 전 안경, 귀걸이, 목걸이 등의 금속성 물체를 제거하지 않음 • 납 방어복에 의한 오류: 잘못 착용하거나 갑상선 보호대가 있는 납방어복을 착용, 원추형태의 방사선불투과성 오류 ② 부적절한 환자위치에 의한 오류 • 턱을 든 상태에서 촬영: 교합평면이 역V자 형태로 나타남 • 고개를 숙인 상태에서 촬영: 교합평면이 과장된 V자 형태로 나타남 → 역V자 해결: 프랑크포트수평면을 바닥과 평행하도록 고개를 들어 줌 • 상층보다 전방 또는 후방에 위치한 치열: 전방 위치–전치부 축소, 후방위치–전치부 확대 • 정중시상면 위치 오류: 필름에서 먼 부위는 확대되고, 가까운 부위는 축소 • 입술과 혀의 위치오류 • 촬영 시 입을 다물지 않으면 방사선 투과성의 음영이 전치부와 겹침 • 촬영 시 혀를 입천장에 접촉하지 않으면 상악치아 치근단 부위와 겹쳐서 나타남 • 척추의 위치: 등을 구부린 경우 경추의 상이 전치부에 중첩되어 관찰이 어려움
방사선 4-8-4 A항	파노라마촬영에서의 오류를 설명할 수 있다.

조직 및 장기의 방사선 감수성	• 고감수성: 점막, 조혈조직(골수, 비장, 림프조직), 고환, 소장, 대장, 갑상선 • 중감수성: 폐, 신장, 간, 미세혈관, 성장 중인 연골과 골, 타액선, 피부 • 저감수성: 근육세포, 신경세포, 수정체, 성숙적혈구, 결합조직, 지방조직 → 소아는 성인보다 감수성이 높음, 특히 소아의 골(골단부)은 고감수성

방사선 2-1-5 A항   조직 및 장기의 방사선 감수성을 설명할 수 있다.

술자의 방사선 방어	• 거리: 방사선원으로부터 1.8 m (6피트) 이상 거리 유지 • 위치: 일차방사선의 진행 방향을 피하고, 중심선에 대해 90°~135° 사이 위치 • 차폐: 방어벽이나 건물벽(콘크리트, 벽돌, 세라믹 타일 등) 뒤쪽에 위치 • 방사선이 노출되는 동안 관구를 잡지 말아야 함 • 촬영시 필름은 환자가 직접 고정(부득이한 경우 보호자가 필름 고정) • 방사선 모니터링: TLD 배지 이용 → 3개월에 1회 이상 방사선 피폭선량 측정

방사선 2-2-8 A항   술자의 방사선 방어에 대해 설명할 수 있다.

치근주위
방사선 불투과성
병소의 구강영상
	• 경화성 골염
	  – 골소주의 수가 불규칙적으로 증가하고 두꺼워지며, 골수강의 크기는 감소되어 방사선 영상
	    에서 희게 관찰
	  – 치근단의 중심 쪽에서 골 흡수가 일어나고 중심에서 멀어질수록 골경화가 일어남
	  – 치주인대강 확장, 치조백선 소실이 관찰
	  – 잔존치근과 감별 요함
	• 골경화증
	  – 비염증성 원인으로 골수강이 좁아지고 골조직이 치밀해짐
	  – 비정상적인 외력에 의한 보상반응 결과 또는 원인 불명
	  – 주로 하악 소구치, 대구치 치근단 주위에서 관찰
	  – 관련 치아는 정상적인 치수생활력을 가지며 임상증상은 보이지 않음

방사선 6-1-7 A항   치근주위 방사선 불투과성 병소의 구강영상에 대해 설명할 수 있다.

159

당뇨병 환자의 치과치료	• 스트레스로 인한 인슐린 요구량 증가 → 과혈당증 • 치료 때문에 식사시간 지연 → 저혈당증(오전 중 약속) • 감염(인슐린 양 증가 필요, 항생제 투여), 치유불량(발치 후 dry socket) • 면역능력 저하로 인해 감염에 취약해지기도 하므로 주의 • 수술 후 스테로이드는 절대 투여하지 않도록 함 • 조절되지 않는 당뇨환자나 조절이 불량한 환자는 예방적 항생제를 투여
외과 2-3-2 A항	내분비계질환자의 치과치료를 설명할 수 있다.

160

마취제에 혈관수축제를 첨가하는 이유	• 혈관을 수축시켜 주사 부위의 혈류량을 감소시킴 • 적은 양으로 충분한 마취효과 가능(독성 감소) • 마취제의 작용시간이 길어짐 • 출혈을 최소화시켜 외과적 시술
외과 4-1-1 A항	국소마취제의 특성을 설명할 수 있다.

161

발치 후 냉찜질 시행 목적	• 혈관확장을 막아 부종 감소 • 1~2일 동안 시간 동안 냉찜질 (10분 정도 해주고 쉬는 것 반복)
외과 6-1-3 A항	발치 후 주의사항을 설명할 수 있다.

162

중안모 골절 (악골 골절)	• 수평골 골절: 상악골 골체부 골절, 구개부 상부와 권골돌기 접합부 아래부위에서 두개골 기저부와 분리되는 골절 • 피라미드형 골절: 상악의 안면부를 지나는 수직성 골절이 비골과 사골부까지 상부로 연장된 골절 • 횡단 골절: 비골의 기저부와 사골부를 지나 안와를 통과하여 권골궁까지 연장된 안모의 상방을 지나는 골절 • 권골 골절: 권골 상악골 복합체의 골절과 권골궁의 골절로 구분 • 비–안와사골 골절: 안구손상 및 신경학적 증상 등의 합병증 유발
외과 7-2-2 A항	악골 골절의 분류법을 설명할 수 있다.

163

치조골 정형 및 골융기제거술의 적응증	• 국소의치나 총의치 제작과 장착을 위해서 과잉의 치조골이나 예리한 치조골이 돌출되어 있을 경우 • 치조골에 골류가 발생한 경우 • 다수치 발거 시 치조골 중격이 날카로워졌을 경우 • 혀의 움직임을 방해하여 기능장애가 있을 경우
외과 8-3-1 A항	치조골 정형 및 골융기제거술의 적응증을 설명할 수 있다.

164

악골골수염의 원인	• 혈행성 원인: 성인보다 어린이에게서 호발, 상악보다 하악에서 호발 • 골질환이나 혈관질환과 관련(골조직 내로의 혈액공급장애): 심각한 영양장애, 당뇨병, 백혈병 등 • 치성, 비치성에 의한 국소적 감염과 관련(주요 요인): 치아우식증, 치주질환, 인접 연조직의 감염 등(포도상구균, 연쇄상구균 등)
외과 9-2-3 B항	악골골수염의 원인을 기술할 수 있다.

🔍 치과보철학(6문항)

165

중심교합위의 특징	• 형태적으로나 기능적으로 정상적인 교두감합상태에 있을 때의 하악위 • 상 · 하악 치열이 가장 많은 부위에서 접촉하고 안정된 상태 • 정상인 경우 중심위와 중심교합위의 위치가 일정 • 중심교합위는 교모, 정출, 결손 등에 의해 변할 수 있음(시간의 경과에 따라 변할 수 있음)
보철 2-2-3 A항	중심교합위를 설명할 수 있다.

166

교합채득 목적	상 · 하악 모형의 관계를 재현하기 위해 상 · 하악 치열의 교합관계를 기록하고 얻어진 교합 채득은 교합기에 상 · 하악 모형을 장착할 때 사용
보철 3-4-14 A항	교합채득을 설명할 수 있다.

심미보철물의 종류	• 금속도재관(Metal ceramic crown): 금속 coping에 도재를 접착시켜 심미성과 강도를 고려한 금관 • 전부도재관(All ceramic crown): 도재만을 이용하여 치아의 전부를 덮는 금관 • 도재 라미네이트 베니어(Porcelain laminate veneer): 치아의 순면을 최소한으로 삭제하여 얇은 도재판을 만들어 치아에 접착함으로써 전치의 모양과 색을 개선 • 순 치경부 도재 변연 금속도재관(Collarless crown): 금속도재관의 순측 metal collar를 도재로 만들어 치경부 치은 부위의 심미성을 개선한 치관
보철 3-3-1 B항	심미보철물의 종류를 설명할 수 있다.

가공의치와
국소의치의 장점
	• 가철성 국소의치의 장점
	  – 청결유지가 쉽다.
	  – 착탈이 용이하다.
	  – 다양한 결손 증례에 적용이 가능하다.
	  – 기능압을 잔존치아와 점막으로 분산한다.
	• 고정성 가공의치의 장점
	  – 장착감이 좋다.
	  – 유지와 지지력이 좋다.
	  – 저작능력이 우수하다.
	  – 착탈하는 불편감이 적다.

보철 4-1-2 A항	가공의치와 국소의치의 장점을 설명할 수 있다.

총의치의 임상과정	검사·진단과 치료계획 → 전처치 → 예비인상 → 연구모형 제작 → 개인트레이 제작 → 최종 인상 채득 → 작업모형 제작 → 기록상과 교합제 제작 → 악간관계기록(교합채득) → 인공치아 선택 및 배열 → 납의치의 시험적합 → 레진중합(의치 완성) → 의치 장착 및 술후 관리
보철 5-3-1 A항	총의치의 임상과정을 설명할 수 있다.

국소의치 장착 환자 구강관리 방법	• 의치 삽입과 철거 시 반드시 손가락 사용 • 따뜻한 물과 비연마성 세척제를 사용하여 의치의 모든 면을 솔로 닦기 • 매 식후 구강 내에서 제거한 후 세척하고 의치용 칫솔을 이용해 가볍게 닦음 • 연마제가 거친 세치제 사용 또는 너무 세게 닦으면 의치상이나 인공치가 마모될 수 있음 • 세면대에 물을 받아 놓거나 바닥에 수건을 깔고 의치를 닦아, 세척 시 떨어뜨려 파절되는 것을 방지 • 취침 시에는 의치를 빼내어 의치세정제를 용해시킨 용액에 담가두고 다음 날 아침 의치를 물로 세척한 다음 구강 내에 장착 • 취침 시나 의치를 장착하지 않을 때는 찬물이 담긴 의치보관함에 담가 보관 • 새로운 의치를 장착한 24시간 후에는 반드시 치과에 재내원하여 검사 및 수정 • 6개월마다 정기적인 검사 수행 • 발음 변화가 생길 수 있으나 의치에 적응함에 따라 사라짐
보철 4-4-1 A항	국소의치 장착 환자의 구강관리 방법을 설명할 수 있다.

171

Bur의 형태	• 구형 버(round bur): 우식와동의 개방 또는 연화 상아질 제거에 사용 • 역원추형 버(inverted bur): 아말감 와동의 유지 형태인 첨와 형성 시 사용 • 배형 버(pear shaped bur): 배모양, 아말감을 위한 와동 형성에 주로 사용 • 평형 열구형 버(straight fissure bur): 평행한 원통형, 아말감 수복을 위한 와동형성 시 • 사용 • 침형 열구형 버(tapered fissure bur): 인레이 수복을 위한 와동형성
보존 3-1-7 A항	Bur의 특징을 설명할 수 있다.

172

러버댐의 장착방법	클램프의 날개를 시트 구멍에 끼움(클램프의 Bow가 원심을 향하도록) → 겸자로 클램프와 시트를 함께 치아에 고정 → 러버댐 냅킨을 위치 → 시트를 펼쳐 프레임에 고정 → 핀셋 등을 이용하여 날개 위의 시트를 클램프 밑으로 넣음
보존 4-1-6 A항	러버댐을 장착할 수 있다.

173

치수절단술	• 유치 또는 영구치에서 건강한 치수가 약간 노출되었거나 노출이 예상될 때 사용되며 치수의 생활력을 유지시켜주는 술식 • 적응증: 외상이나 우식 등으로 치관부 치수가 감염된 경우 적용
보존 11-1-3 B항	치수절단술의 적응증을 설명할 수 있다.

174

백악-상아경계부	• 조직학적으로 근첨에서 백악질과 상아질이 만나는 경계부 • 임상적으로 근관에서 가장 좁은 부위 • 이 부위는 근관의 협착부와 일치하거나 근처에 존재하는데, 일반적으로 이 부위까지 근관기구를 조작
보존 9-1-4 B항	백악-상아경계부(Cementodentin Junction)를 정의할 수 있다.

175

근관치료의 술식과정	진단 → 치료준비 → 치수마취 → 러버댐 장착 → 근관 와동 형성 → 발수 → 근관장 측정 → 근관형성 → 근관세척 및 건조 → 근관 소독, 가봉 → 근관충전 후 수복
보존 12-1-6 A항	근관치료의 술식과정을 설명할 수 있다.

외과적 근관치료 분류	• 절개와 배농: 농과 조직액을 배출시켜 조직의 압력을 줄임 • 치근단수술: 근관 내부를 통하여 접근할 수 없을 때 외과적 방법으로 치근단 주위에 처치하는 수술법 　－ 근관을 통해 수정할 수 없는 저충전 및 과충전 　－ 근관이 석회화되어 더 이상 근관치료가 어려운 경우 　－ 재근관치료 후 치근단 염증이 치유되지 않을 때 　－ 근관에 제거할 수 없는 포스트가 장착되어 있을 때 　－ 파절된 기구를 제거할 수 없을 때 • 치근절제술: 치관은 그대로 둔 채 1개 또는 2개 치근을 잘라내는 술식 • 편측절제술: 치관을 협·설방향으로 절단하여 보존이 불가능한 한쪽의 치관과 치근을 모두 제거하는 술식 • 치아분리술: 치관을 협·설방향으로 절단하여 양쪽을 치관과 치근을 그대로 보존 • 치아재식술: 치아가 통째로 빠진 경우에 그 치아를 그 자리에 다시 심어 넣는 술식 • 의도적 치아재식술: 치료할 치아를 의도적으로 발치하여 구강 밖에서 치근단 수술을 한 후 발치와에 다시 심는 술식 • 치아이식술: 자신의 치아나 다른 사람의 치아를 옮겨 심는 방법
보존 13-1-1 A항	외과적 근관치료를 분류할 수 있다.

🔍 소아치과학(6문항)

유치맹출기 (유아기)의 특징	• 생후 6개월부터 3세까지: 유치 맹출 시작부터 유치열 완성기까지 • 저작, 연하운동 발달 중요: 반사적 빨기, 이유기, 저작기능 전환 시기 • 유치 맹출 순서 및 시기 이상이 나타남 • 입술과 치아의 외상 가능성이 높음: 걸음마 학습 • 고형식 이행 실패 시 이상 연하습관 생기기도 함 • 치과 검진 필요: 맹출성 혈종, 낭종, 급성 포진성 치은구내염, 유아기 우식 등 발견
소치 1-1-4 A항	치열발육기에 따른 구강조직의 특징을 설명할 수 있다.

분산	• 진료 중 치료에 집중해 있는 어린이의 관심과 주의를 분산하여 공포를 줄여주는 방법 • 비디오 테이프, 헤드폰을 통해 좋아하는 음악을 들을 수 있도록 함
소치 4-4-4 A항	심리적 접근법의 종류별 특징을 설명할 수 있다.

유구치
기성금속관의
특징
	• 유구치 기성금속관의 장점
	  – 치질 삭제량이 적음
	  – 제작과 조정이 간편하여 한 번의 처치로 수복이 가능
	  – 치경부 적합성이 떨어짐
	  – 두께가 얇아 교합면의 파절이 나타날 수 있음
	  – 치아의 해부학적 형태와 저작기능의 회복이 쉬움
	• 유구치 기성금속관의 단점
	  – 치경부 적합성이 떨어짐
	  – 완전한 교합의 형성 어려움
	  – 치질과 금관 사이 간격의 큰 부분이 존재
	  – 두께(0.15~0.2 mm)가 얇아 교합면의 파절이 나타날 수 있음
	  – 형태를 자유롭게 부여할 수 없어 형태 이상들의 심한 기형치 등의 수복이 어려움

소치 5-4-2 A항	유구치 기성금속관 수복의 장점을 설명할 수 있다.

치수절단술의 시술과정	① 국소마취, 러버댐 장착 ② 와동형성 후 우식상아질 제거 ③ 치수강 개방 ④ 치수조직 절단 ⑤ 출혈 조절(지혈) ⑥ 수산화칼슘 또는 FC 도포 ⑦ ZOE 임시충전
소치 5-5-6 A항	유치치수절단술의 시술과정을 설명할 수 있다.

치근단유도술
(생리적
치근단형성술)
	• 미성숙영구치의 치근부 치수의 생활력을 유지시켜 치근형성을 지속, 유도하는 술식
	• 적응증
	  – 외상에 의한 미성숙 영구치의 치수노출 시
	  – 미성숙 영구치의 기계적 치수 노출 시

소치 7-2-5 A항	공간유지장치의 종류별 특징을 설명할 수 있다.

치아 상실에 따른
공간유지장치
	• 다수 치아의 상실 시
	  – 상악 편측 상실: 횡구개호선
	  – 상악 양측 유구치 상실: 낸스구개호선
	  – 하악 편측 또는 양측 2개 이상 치아 상실: 설측호선

	Tip! • 디스탈 슈: 제2대구치가 맹출 전 제1대구치 상실 시 • 밴드&루프: 제1유구치 조기상실 시
소치 7-2-5 A항	치은열구액의 기능을 설명할 수 있다.

183

치은열구액의 기능	• 항세균작용 • 기계적 자정효과 • 치은열구 내 이물질 세척 • 치아에 대한 상피부착의 유착 증가: 끈끈한 혈장 단백질로 접합상피와 치아 사이 부착력 증대 • 항체 활성: 면역기능(면역글로불린 함유) • 치은연하치석 형성 촉진하는 배지 역할 • 염증이 있거나 기계적인 자극이 가해질 경우 분비량 증가(저녁 무렵 최고, 이른 아침 최소)
치주 1-1-3 A항	치은열구액의 기능을 설명할 수 있다.

184

고유치조골	• 치조경선(치조백선, lamina dura): 치아를 둘러싸고 치조와의 내면을 이루고 있는 치밀골로 방사선상에서 하얀 선으로 보임 • 다발골(bundle bone) 형성: 치아의 지지를 위한 샤피섬유 다량 함유 • 사상판 형성: 치주인대의 신경, 혈관 등이 통과하기 위한 많은 구멍이 뚫린 상태로 망상판의 형태 • 치아를 직접적으로 지지
치주 1-4-2 A항	치조골의 해부학적 특징을 설명할 수 있다.

185

치은퇴축의 임상적 특징	• 치근이 노출되면서 치근우식증 발생 쉬움 • 상아질 노출로 지각과민증(상아질과민증)이 나타나 냉온반응 및 기계적 자극으로 동통 발생 • 치태 및 치석, 음식물 축적이 쉬운 환경이 되나 관리는 더 어려워짐
치주 3-2-4 A항	치은퇴축의 임상증상을 설명할 수 있다.

186

외상성 교합의
증상
(치주조직의 변화)
	• 교합성 외상: 비정상적인 교합양상에 의해 치주조직 손상을 초래하는 현상
	  – 원인: 조기접촉, 측방압, 이갈이
	  – 증상: 치아동요도 증가, 저작과 타진반응 시 불편, 치조중격의 수직적 골파괴, 치주인대강 확장, 치근단 흡수 및 치조골 흡수, 과백악질증
	• 외상성 교합: 교합성 외상을 야기하는 교합양상

치주 2-3-3 A항	교합성 외상의 증상을 설명할 수 있다.

치관주위염 (치관주위농양)의 임상증상	• 증상: 연하곤란, 안면부종, 림프절 비대, 종창 및 통증, 치관주위농양으로 진행되기도 함 • 농양위치: 부분 맹출된 제3대구치 및 치아 • 원인: 부분 맹출된 치아의 치은 주변 치면세균막, 음식물 잔사 등에 의해 발생
치주 4-1-6 A항	치관주위염의 특징을 설명할 수 있다.

치주수술 (치주판막수술) 후 주의사항	• 동통 발생 시 진통제 복용 • 상처 보호하기 위해 치주포대 유지 • 수술 후 3시간 이내 뜨거운 음식 섭취하지 않기 • 금연 • 포대 위 칫솔질 하지 않기 • 일상생활 가능하나 과도한 운동 삼가 • 종창이 발생하나 3~4일 내에 가라앉음 • 수술 후 4~5시간 후 출혈 발생할 수 있으나 점점 호전됨 • 수술 첫날 전신적인 무기력감과 오한이 있을 수 있음 • 예기치 못한 상황이 생길 때 병원 방문
치주 5-3-14 A항	치주수술 후 주의사항을 설명할 수 있다.

🔍 치과교정학(6문항)

안면골의 성장	• 안면골: 상악골, 구개골, 권골, 하악골, 설골로 구성 • 성장방향: 전하방(4개의 suture 방향에 직각으로 성장) • 성장방향 순서: 좌우(폭) → 전후경(깊이) → 상하(높이) • 상악의 성장: 상안면부는 하안면부보다 빨리 성장(신경형에 영향) • 하악의 성장: 인체 중 가장 오랫동안 성장 지속(만 20~21세), 일반형(general type) 성장곡선에 해당 • 상안면부는 하안면부보다 빨리 성인의 크기에 도달 • 사춘기 이후의 안면은 하안면의 발육에 의해 완성된다고 할 수 있음 • 최대성장기는 남자보다 여자가 2년 정도 빠르게 도달한다.
교정 2-2-2 A항	안면의 성장·발육방향을 설명할 수 있다.
교정 2-2-3 B항	상안면부와 하안면부 성장 완료시기의 차이를 식별할 수 있다.

성인의 정상교합	① 상·하악골의 조화가 이루어진 성장발육 ② 치아의 크기와 악골 크기의 조화 • 치아의 크기와 형태, 치아 수의 균형이 이루어져야 함 • 1치 대 2치의 교합 관계를 가져야 함(하악 중절치와 상악 제3대구치 제외) ③ 치아의 정상적인 교합 및 인접면의 접촉관계 • 상·하 치열궁의 근·원심관계 • 전치: 상악 전치가 하악 전치 1/4~1/3을 피개 • 구치: 융선과 구와의 접촉, 인접 치아의 긴밀한 접촉 ④ 올바른 치축 경사 • 근·원심경사: 치아 장축이 약간 근심경사를 이룸 • 순·설경사 　– 상악 전치는 순측경사, 하악 전치는 약간의 설측경사, 상악 구치는 설측경사 　– 하악 구치는 원심으로 갈수록 심한 설측경사 • 상악 견치의 첨두가 하악 견치의 원심 우각부와 접촉 • 스피만곡(curve of Spee)이 작아야 함(1.5 mm 이하) ⑤ 근육(근신경계)의 정상적인 발육과 기능 ⑥ 치주조직의 건강 ⑦ 악관절의 정상적인 형태와 기능
교정 3-2-2 A항	정상교합의 성립조건을 설명할 수 있다.

Angle의 부정교합의 분류	• 제 I 급 부정교합 　– 상·하악 치열궁이 정상적인 근·원심관계에 있으나 다른 치아에 이상이 있는 부정교합 　– 전치부 총생, 공극, 과개교합, 개교, 상하악전돌 등 • 제 II 급 부정교합 　– 상악 치열궁에 대해 하악 치열궁이 정상보다 원심에 있는 것(상악 전돌)

	II-1류	II-2류
골격	하악원심	하악원심
상악 중절치	순측경사	설측경사
피개	수평피개	수직피개(과개교합)
호흡	구호흡	비호흡

	• 제 III 급 부정교합 　– 상악 치열궁에 대해 하악 치열궁이 정상보다 근심에 있는 것(하악 전돌) 　– 상하 전치의 반대교합
교정 3-4-4 A항	Angle의 부정교합을 분류할 수 있다.

Wire 절단용 겸자의 종류와 용도	• 디스탈 엔드 커터(distal end cutter): 고정식 장치의 호선말단을 구강 내에서 그대로 절단하는 것으로 절단된 와이어의 끝부분이 튀지 않도록 되어 있음 • 와이어 커터(wire cutter): 굵은 교정선을 절단 • 결찰 커터(pin & ligature cutter): 끝이 가늘어 좁은 부분의 결찰선을 절단
교정 7-1-5 A항	Wire 절단용 겸자의 종류를 열거할 수 있다.
교정 7-1-6 A항	Wire 절단용 겸자의 용도를 설명할 수 있다.

| Multibracket 장치 | • 에지와이즈 장치(edgewise appliance)
  – 각형 슬롯(slot)을 가진 브라켓이 있으며, 여기에 교정용 호선을 위치시켜 삼차원적인 치아이동이 가능
  – 개개 치아를 정확히 조절
• 스트레이트 호선 장치(straight wire appliance)
  – 호선에 굴곡을 부여하는 대신에 치아배열에 필요한 삼차원적 정보를 브라켓 슬롯에 반영
• 설측 교정장치: 심미적인 면을 고려하여 치아의 설측에 장치를 부착
  – 치료의 난이도, 기간, 비용이 모두 증가됨 |

교정 8-3-1 A항 고정식 교정장치의 종류를 설명할 수 있다.

| 투명교정장치
(clear aligner) | • 이동시킬 치아를 모형에서 재배열하여 단계별로 교정장치를 제작한 후 치아를 이동시키는 투명한 가철식 교정장치
• 일반적인 적응증은 전치부에 간단한 총생(crowding)이나 공간(space)이 있는 경우이나 최근에는 디지털 장비를 이용한 제작방법의 개선으로 가능한 적응증이 확대되어가는 추세임 |

교정 8-1-2 A항 가철식 교정장치를 설명할 수 있다.

🔍 치과재료학(6문항)

치과재료의 용도별 열전도율	• 열전도성: 온도차가 1℃일 때 두께 1 cm 및 단면적 1 cm²의 물체에 1초간 전달되는 열량 • 재료의 용도에 따라 요구되는 열전도는 다름

열전도율이 높아야 하는 재료	열전도율이 낮아야 하는 재료
의치상용 재료 → 열전도율이 높아야 음식의 온도를 잘 느낌	수복재, 베이스 → 열전도율이 낮아야 치수로 전달되는 온도 자극을 차단할 수 있음

재료 2-1-3 A항 용도에 따른 치과재료의 열전도율을 설명할 수 있다.

| 치아와 수복물의
미세누출 | • 의미: 치아와 수복물 사이에 작은 공간이 생긴 것(공간을 따라 타액, 음식물 잔사와 세균 등이 침투하는 현상)
• 원인: 치아와 치과재료 간의 화학적 결합 결여, 열팽창계수의 차이, 경화과정 중의 수축
• 문제점: 수복물 변연부위에 치아우식증 유발(2차 우식), 치수자극, 동통유발, 수복물 변색
• 방지방법: 수복재 열팽창계수 고려, 치아와 재료 간 화학적 결합 유도 |

재료 2-4-2 A항 치아와 수복물의 미세누출을 설명할 수 있다.

복합레진 충전 후 지각과민을 해결하는 방법	• 적층법 수복 • 타액으로부터 철저한 격리 • 베이스 도포를 통한 치수보호 • 잔존 상아질 양이 적을 경우(1 mm 이하) (수산화칼슘 이장재 → 글래스아이오노머 베이스 → 복합레진수복) • 직접 충전보다 간접법으로 인레이 수복

재료 4-1-16 A항	복합레진 충전 후 지각과민을 감소시키는 방법을 설명할 수 있다.

알지네이트 인상채득 시 주의할 점	• 혼수비 준수(제조사 지시) • 혼합시간 준수(제조사 지시) • 경화 3~4분 경과 후 제거 • 치아와 트레이 사이 인상재의 충분한 두께 유지 • 순간적으로 제거(좌우로 흔들지 않도록 함) • 원래 상태로 최대한 회복될 때까지 기다린 후 석고 주입

재료 8-3-6 A항	알지네이트 인상채득 시 주의할 점을 설명할 수 있다.

치과용 석고 모형 강도 증가방법	• 석고의 최종 성질에 가장 큰 영향을 미치는 것: 혼수비 • 물과 석고를 혼합할 때의 무게비로 혼수비를 정확히 지켜야 함 • 러버 볼에 물을 담고 분말 첨가 • 적절한 진동을 주면서 혼합하거나 진공혼합기 사용: 혼합물 내부의 공기를 제거하여 강도 강화 • 석고 보관: 습기가 없는 곳에 밀봉하여 보관 • 큰 용기의 포장을 일단 개봉하면 작은 밀봉 플라스틱 용기에 담아 보관 • 고무인상재로 채득한 경우 원형회복을 위해 20분 후 석고주입 • 알지네이트로 인상채득한 경우 즉시 석고주입
	Tip! 석고모형 강도 증가방법 • 초경석고 또는 경석고의 사용 • 낮은 혼수비 • 바이브레이터 사용 • 진공혼합기 사용

재료 9-1-8 A항	치과용 석고의 취급 시 주의사항을 설명할 수 있다.

글래스아이오노머 시멘트의 용도	• 제 I 형: 접착용(수복물, 교정용 밴드) • 제 II 형: 수복용(전치부, 치경부 마모, 침식 및 특발성 침식증), core 제작 • 제 III 형: 치면열구전색용 및 치수보호제(베이스, 이장재) cf 치경부마모, 특발성 침식증의 수복, 심미수복, 보철물의 접착, 베이스

재료 7-4-1 A항	글래스아이오노머 시멘트의 용도를 설명할 수 있다.